L'AUTRE CÔTÉ DE LA VIE
DIALOGUES AVEC L'INVISIBLE

PHILIPPE RAGUENEAU

L'AUTRE COTÉ DE LA VIE
DIALOGUES AVEC L'INVISIBLE

Préface d'Henry Bonnier

ÉDITIONS DU ROCHER
Jean-Paul Bertrand

© Éditions du Rocher, 1995

ISBN 2 268 02109 2

Voici un livre fou.

N'était la personnalité de son auteur.

Philippe Ragueneau, en effet, se recommande à nous par un certain nombre de qualités et de vertus qui, en d'autre temps, en eussent fait un citoyen exemplaire. Il lui faudrait un Plutarque, historien des âmes autant que des hommes, afin de dégager chez lui ce qui l'apparente à un Caton l'Ancien ou à quelque grand capitaine de l'Antiquité.

De son engagement dans la Seconde Guerre mondiale, qui lui valut d'être créé compagnon de la Libération par le général de Gaulle, je retiendrai, entre cent, deux moments particuliers.

Tout d'abord, le 17 juin 1940... À peine le maréchal Pétain vient-il de s'exprimer par la voie des ondes – c'est le fameux discours par lequel il annonce aux Français qu'il a demandé l'armistice aux Allemands – que Philippe Ragueneau, se trouvant à Mondonville, dans la Haute-Garonne, refuse de capituler.

Ils sont quelques officiers à s'être réunis au café Laborie, autour d'un poste de radio ; la voix du vieux maréchal se fait entendre, chevrotante ; et le jeune aspirant qu'est Ragueneau, considérant tout le matériel militaire qui parsème les champs, crée aussitôt un groupe qu'il dénomme « la Guerre Secrète » et qui rassemble des officiers, des sous-officiers et des aspirants de son unité.

Commence alors pour lui et pour ses compagnons une aventure peu commune, née autant de l'humiliation que représente cet armistice que de la colère que suscite en lui un officier à qui il demande où il doit placer le drapeau du régiment et qui lui répond : « Fous-moi ça là ! » Jamais Philippe Ragueneau n'oubliera qu'en ces temps de défaite ce « ça » désignait le drapeau de son pays.

Deuxième moment : son arrestation à Lyon en 1941.

De Mondonville à Lyon, que s'est-il passé ? À Toulouse, où il est muté, les populations se mêlent sous l'effet de l'Exode. Pour Philippe Ragueneau, cette ville constitue un lieu idéal de recrutement. Il prend langue avec des hommes qui, arrivés de Belgique, du nord de la France, de Bretagne, vont devenir les premiers agents de son réseau. Parallèlement à ces rencontres, il polycopie des tracts et cache autant d'armes qu'il le peut.

À la fin de 1940, il monte à Lyon, où l'agent Kempf le met en relation avec Bertie Albrecht, qui travaillait déjà avec Henri Fresnay. Et voici qu'en pleine guerre le destin lui fait un signe. Ce diplômé d'HEC (promotion 1939) se voit chargé par Fresnay, qui vient de les créer, de diriger *Les Petites Ailes,* un journal dont le titre dit assez et la modestie et la destination.

Cette première expérience sera déterminante, puisque, la guerre terminée, il s'illustrera autant dans la presse écrite que télévisuelle. Mais j'y reviendrai.

Et c'est ainsi que son réseau, « la Guerre Secrète », est rattaché au réseau « Combat ». Auparavant, il a rencontré à Marseille un certain Max qui se prépare à partir pour Londres et qui lui fait la plus vive impression. Max n'est autre que Jean Moulin.

Alors que, pour vivre, il est successivement nommé sous-directeur du Bureau de répartition des cuirs et peaux, puis agent supérieur hors-cadre au Comptoir national d'escompte à Lyon, il est arrêté le 12 août 1941 et incarcéré au fort Montluc.

Cet épisode, Philippe Ragueneau l'a relaté dans son roman *Julien ou la route à l'envers.* Il me plaît d'autant plus de le rapporter ici qu'il illustre à merveille, si je puis dire, quelle sorte d'homme est notre auteur.

Un livreur dépose devant sa porte palière une pile de journaux surmontée de la liste des destinataires. Est-il besoin d'ajouter que ceux-ci appartiennent tous à la Résistance ? Survient la police qui, chargée de l'arrêter, saisit en même temps les journaux et la liste.

Son seul souci, c'est de préserver les membres de la Résistance. Après une nuit de discussion avec l'officier de police, le commissaire Gauche, il parvient à convaincre celui-ci de la nécessité de son combat. Quant à la liste, comme elle est déjà à la préfecture, il propose à cet officier un marché : il va écrire deux lettres et, parole donnée, sortir dans la rue, remettre chaque lettre à un passant, avant de s'en retourner au commissariat.

Ainsi fut fait. Personne ne fut arrêté.

La suite se devine aisément : la guerre, et encore la guerre, et toujours la guerre, qu'il continue en participant aux opérations de débarquement en Afrique du Nord, puis en faisant la campagne de Tunisie, où il conduit vingt et une missions de sabotage dans les lignes allemandes, et encore en étant parachuté le 6 juin 1944 dans le maquis de Saint-Marcel, et toujours dans un nouveau parachutage le 7 septembre 1944 dans le maquis de Scevolles, dans la Haute-Vienne, où il sera blessé, et enfin dans les combats de la poche de Saint-Nazaire.

Dès la Libération, la presse devient sa grande passion. Philippe Ragueneau est, avant la lettre, un homme de communication. De *L'Avenir de l'Ouest* dont il est l'un des cofondateurs et le directeur général à la direction des services de presse et d'information dont le charge le général de Gaulle, alors président du Conseil ; de la création du journal *La Nation* à la direction du « Journal parlé » de la Radiodiffusion française, on s'essouffle à le suivre dans les mille activités qui sont les siennes, jusqu'à ce qu'il crée la deuxième chaîne ou qu'il devienne le directeur des programmes de télévision. (On ne confie pas des responsabilités pareilles, ni à un illuminé ni à un doux rêveur...)

Rien de ce qui touche à la recherche et à la promotion audiovisuelles ne lui est étranger, et ce n'est pas un hasard si, aujourd'hui encore, il est tout ensemble secrétaire général de « Carrefour du gaullisme » et secrétaire général adjoint du « Conseil national de la communication », réunissant ainsi les deux passions de sa vie.

Ah, j'allais oublier – ce qui est un comble ! – que notre ami a publié dix-huit ouvrages, dont quatre furent primés.

Et j'en viens à présent à ce livre fou qui, je l'espère, sera lu comme il se doit, c'est-à-dire par des lecteurs qui, sachant désormais quel en est l'auteur, sauront à quel poids de vérité, de souffrance et d'espérance pèsent les mots qui le composent.

Aux deux passions qui se partagent la vie de notre auteur, il convient d'en ajouter une troisième qui les transcende et les illumine : l'amour qu'il porte à son épouse, Catherine Anglade, à qui il fut étroitement uni pendant trente-trois ans et qui devait décéder des suites d'une cruelle maladie, comme on dit d'ordinaire.

« Elle était la volonté, elle était le courage, elle était la beauté et, surtout, elle était la vie. » C'est en ces termes que, monté à l'autel, il allait la décrire, avant l'absoute, tandis que, devant ce cercueil recouvert de tricolore, nous portions en nous, chacun séparément, de la défunte une image née de ses rires, de ses saillies, de ses reparties, vive, si vive, cette Catherine, et franche, si franche, et belle à proportion, et femme, si femme par ses rêves d'absolu, amie sûre, amie de tous les instants.

Je me souviens d'un dîner que nous donnâmes pour elle. André et Karine Brincourt étaient là. Ce devait être sa dernière sortie. Droite comme une lame, le visage déjà émacié par la souffrance, elle rayonnait de toute sa présence. Rien de triste ni même de tragique en elle, mais ce bonheur simple et léger que procure l'amitié qui est, je m'en convaincs chaque jour davantage, le grand sentiment. Nous étions ensemble ce soir-là, et cela seul suffisait.

Ce que nous ne savions pas, c'est que Philippe et Catherine, brûlant de la même foi, s'étaient promis de ne jamais se quitter. Ils se tenaient à ce dîner comme si de rien n'était. À ceci près que leurs regards – et cela m'avait frappé – étaient ailleurs... Je m'étais même dit à part moi : « À se demander si ces deux-là ne voient pas les mêmes choses en même temps... Et, par « mêmes choses », les connaissant bien, je pouvais imaginer tel paysage d'Irlande au moment des hors-d'œuvre, tel atoll polynésien à l'heure du poisson, ou je ne sais quelle contrée fabuleuse de la Réunion au dessert. De façon étrange, plus je les observais, plus je me persuadais qu'ils n'avaient déjà plus besoin de mots pour communiquer entre eux.

N'est-ce pas là le comble de l'amour ?

À peu de là, Catherine rendit l'âme, et je mesure à quel point les mots restent insuffisants pour définir l'essentiel, à savoir la déchirure que représente un décès, le silence qui s'ensuit, et l'absence, la terrible absence, l'insupportable absence... Cela s'appelle les brûlures de l'âme.

Et voici que, sortant de son propre silence, – temps du deuil, travail de deuil –, Philippe Ragueneau donne à lire ce nouveau livre qui me laisse sans voix, interdit en quelque sorte, et dont je ne puis me sortir qu'en rédigeant cette préface, c'est-à-dire en exprimant à son auteur mon respect et mon émotion.

L'Autre Côté de la vie relate, en effet, une expérience peu commune. N'était – et j'y insiste – la personnalité de son auteur.

Par-delà la mort, Catherine continue de communiquer avec Philippe, ainsi qu'elle s'y était engagée de son vivant. Voilà bien, n'est-il pas vrai ? un document dérangeant, troublant, bref, « un livre fou », comme je l'affirmais en ouverture.

J'en appelle ici à trois auteurs qui ne laissent pas de m'accompagner dans la suite des jours et qui, à des degrés divers, ont parlé de la folie. La Fontaine, le tout premier, n'affirme-t-il point que « Tout est mystère dans l'amour », tandis que La Rochefoucauld juge que « Qui vit sans folie n'est pas si sage qu'il croit », et que Pascal en vint à poser que « Les hommes sont si nécessairement fous, que ce serait être fou, par un autre tour de folie, de n'être pas fou » ?

On entend bien, derrière ces nobles esprits, qu'il ne s'agit ici nullement de folie, mais bien plutôt d'une disposition de l'âme et du cœur à privilégier ce qui ressortit à la passion au sens que Jean de la Croix donne à ce mot quand il évoque et invoque la folie de la Croix.

Est-il fou celui qui s'abîme en prière ? et celui

qui, sacrifiant tous ses biens, s'abandonne à son Dieu ? et celui qui se cloître toute une vie ? Sont-ils fous ceux-là mêmes qui, traversant les apparences, se vouent à l'invisible ? Sont-ils fous, je le demande, ceux-là qui se donnent au mystère de l'Amour ? Il y a beaucoup de sagesse dans la folie que représentent aux yeux de ce monde et l'humilité et la soumission.

Humilité et soumission : n'allons pas chercher plus loin les grands ressorts qui meuvent les vrais croyants, et, tout particulièrement, Philippe Ragueneau sur le chemin qui est désormais le sien. Au reste, il faut le voir se débattre, et s'interroger, et se débattre encore devant l'incroyable évidence pour comprendre à quel point l'homme rationnel, l'homme raisonnable qu'il est a dû se faire violence pour accepter, en toute humilité et en toute soumission, le surgissement de l'invisible dans le temps présent.

N'ayez pas peur de vos larmes, et vous pleurerez à la mort de Catherine, à certaines de ses déclarations, notamment quand elle invite Philippe à raconter ce qui leur arrive, « pour donner, dit-elle, de l'espérance aux désespérés. Pour que ceux qui pensent que la mort est un grand trou noir dans lequel on disparaît à jamais, apprennent que la mort ne sépare pas ceux qui s'aiment ; qu'ils peuvent se retrouver, se comprendre, se parler, s'aider mutuellement... »

Toutes les larmes sont saintes. Et, de douloureuses, celles qui naissent de cette lecture deviennent joyeuses. Par l'effet de l'amour. Par ce mystère qu'est l'amour. Par le bonheur qui peu à peu se dégage de ces pages. Par les révélations que distille à demi mot Catherine. Par l'assurance qu'elle apporte de l'Au-delà.

D'elle, ce mot qui résume, me semble-t-il, mon propos : « On se révolte contre tout ce qui échappe à notre compréhension et nous est imposé. On remercie quand on comprend et qu'on accepte. »

Comprendre, accepter : de l'un à l'autre, c'est tout le chemin qui conduit de l'orgueil et de la révolte à l'humilité et à la soumission. C'est le chemin même de l'amour.

Henry BONNIER

LA DESCENTE AUX ENFERS

I

« Où en es-tu, de tes interviews ? »

La question de Catherine venait à point pour me rappeler de confirmer à Christian Pineau notre rendez-vous.

Depuis décembre de l'année passée, je complétais à la demande de Christine Levisse-Touzé, directrice du Mémorial de la Libération et du musée Jean-Moulin, la série d'interviews filmées dont j'avais pris l'initiative, en 1988, avec l'assistance technique et financière de la Vidéothèque de Paris, dans le souci de recueillir et de mettre à l'abri du temps et de l'oubli les témoignages des grands acteurs de la Libération.

« Les interviews, ça se termine.

– Tu en auras mis combien en boîte, au total ?

– Cent deux... Quatre-vingt-dix heures de projection... Je suis content. Ces souvenirs-là, au moins, ne s'évanouiront pas en même temps que ceux qui les ont vécus. Mais pourquoi ta question ?

– Parce qu'il faudrait prendre rendez-vous avec le Dr D... Il y a longtemps qu'il ne t'a pas vu. J'en profiterai pour le consulter aussi.

– Toujours tes brûlures d'œsophage ?

– Oui. Ça n'est pas bien méchant mais, ça me préoccupe. »

L'année 1992 s'achevait dans un froid sec qui ne désarmait pas. Il n'avait pas encore neigé mais les nuages bas qui venaient du nord en portaient la promesse. Cette ultime campagne d'interviews, à raison de deux entretiens exhaustifs par jour, m'avait mis sur les rotules et je me promettais bien de réclamer au Dr D... un petit remontant vitaminé.

Il nous reçut le 1er décembre, à 18 h 30. Il commença par m'examiner et, mis à part un peu de tension, il se déclara satisfait.

« À vous, madame Anglade. Qu'est-ce qui ne va pas ?

– J'ai des brûlures, ici, par moments. Depuis deux semaines, environ. »

Il l'ausculta avec attention et revint prendre place derrière son bureau :

« Vous souffrez par intermittences, m'avez-vous dit ? Bon. C'est un petit reflux gastro-œsophagique. On va simplement modifier la motricité digestive. Je vous prescris du Prépulsid et tout va rentrer dans l'ordre.

– Ce n'est pas un début de cancer, au moins ? »

Le Dr D... éclata d'un bon rire :

« Tout de suite ! Le cancer !... C'est une idée fixe, chez vous.

– Vous ne pensez pas qu'un examen exploratoire ?... Une fibroscopie, par exemple ?...

– Vous voulez ruiner la Sécurité sociale ?

– Vous savez, docteur, depuis que je travaille, je lui ai donné des millions, à la Sécurité sociale. Et je ne pense pas qu'on puisse en dire autant de la moitié des gens qui remplissent nos hôpitaux, si vous voyez ce que je veux dire...

– Allons, calmez-vous, madame Anglade. Dans huit jours, téléphonez-moi pour me dire où vous en êtes. Mais je suis sûr que vos brûlures auront disparu. »

Ce fut le cas.

Pendant deux mois...

Vers la fin avril, et comme cette même gêne réapparaissait, Catherine se décida à consulter un gastro-entérologue qu'une de ses amies lui avait recommandé.

Le diagnostic du spécialiste se révéla rassurant :

« Ces douleurs, vous les avez surtout la nuit, n'est-ce pas ? Lorsque vous êtes couchée, avec des problèmes plein la tête et un sentiment d'impuissance ?... Vous êtes une angoissée, on voit ça tout de suite, une anxieuse... Les maladies psychosomatiques, vous connaissez, bien sûr ?... Voilà ce que vous prendrez, matin, midi et soir en alternance. »

S'ensuivit une liste de trois calmants, avec l'assurance qu'aucun examen ne s'imposait.

Le printemps vaporisait dans les marronniers de Paris une brume vert tendre. L'air était léger comme les robes des filles. On se sentait des envies d'être ailleurs...

À Secodip, mes dossiers de consultant évoluaient vers d'heureuses conclusions et j'avais limité à deux par semaine mes voyages au siège social, à Chambourcy. Bientôt on parlerait vacances. Mais, avant cela, je devais livrer un bouquin que venait de me commander « France Empire ». Il s'agissait de mettre en forme les quinze interviews majeures des grands témoins de la Libération de Paris. La transcription dactylographique des bandes vidéo me parvenait, au fur et à mesure, et le gros du travail consistait à passer de l'oral à l'écrit, sans trahir ce que m'avaient confié le général Alain de Boissieu ou Rol-Tanguy, Raymond Dronne ou Daniel Mayer, Chaban-Delmas ou Roger Stéphane. Eddie Florentin, qui avait soufflé cette bonne idée à son éditeur, se chargeait, pour sa part, de l'encadrement historique des entretiens.

Catherine, de son côté, entreprenait d'établir la continuité des textes que lui avaient écrits des auteurs chevronnés, dans le dessein de proposer, à la rentrée, à des sociétés de production, trois séries amusantes dans le style « sitcom » du moment.

Ces tâches nous occupèrent tout le mois de mai.

D'un commun accord, nous avions programmé notre départ pour Gordes le 10 juin au matin.

La veille, on sortit les valises, ce qui mit les chats au comble de l'excitation. Les deux petits futés devinaient très bien ce qui se préparait et où nous allions. Résultat, on les avait tout le temps dans les jambes :

« Sors de cette valise, Lulu ! on n'a pas l'intention de te laisser là !... Mimi, ne te couche pas sur mes robes, ça ne les repasse pas... »

Comme toujours, nous emmenions avec nous deux fois plus de choses qu'il ne nous en faudrait là-bas. – « Tu comprends, me disait Catherine, on ne sait jamais à l'avance le temps qu'on aura. Et puis nous ne partons pas pour quatre semaines,

22

comme la plupart des vacanciers, mais pour trois mois au moins, et je ne veux pas passer mon temps à faire des lessives. »

En réfléchissant bien, elle avait tout à fait raison. Il n'empêche que mon problème, à chaque départ, qu'il s'agisse de l'aller ou du retour, c'était : comment faire entrer le chargement d'un wagon de la SNCF dans une Golf de chez Volkswagen...

Nous y sommes arrivés, finalement, comme d'habitude, et le voyage fut sans histoire.

Deux jours après notre arrivée, il fallut reprendre le volant, mais pour un petit trajet, cette fois, car Salon-de-Provence n'est qu'à une heure de Gordes, sans se presser. J'avais en effet promis ma présence à une Fête du livre qui durait deux jours, avec nuit à l'hôtel en option, ce que j'avais choisi. Catherine m'accompagnait, cela va de soi. Elle rentra le premier soir pour s'occuper des chers trésors et me rejoignit le lendemain.

Je conserve le meilleur souvenir de cette vente-dédicaces en compagnie de vieux complices que je revoyais, tous les ans, dans les manifestations littéraires de la région. Ces joyeuses retrouvailles s'arrosaient dans les meilleures tavernes de la petite ville que nous avions, entre deux « clients », beaucoup de plaisir à découvrir. Seule ombre au tableau : un méchant rhume chopé sans doute dans les courants d'air du mail où je dédicaçais mes bouquins, et qui semblait évoluer vers une bronchite des plus classiques. Ce pour quoi Catherine finit par téléphoner au Dr Nivière, notre généraliste, dont le cabinet accueille son monde à Lumières, près de Goult.

23

Le Dr Nivière est un médecin comme on n'en trouve plus guère. Ses investigations ne laissent rien dans l'ombre. Ses connaissances sont encyclopédiques. Son diagnostic est célèbre dans tout le Vaucluse et au-delà. Pour tout dire, il est le praticien qui a notre confiance et, de surcroît, notre amitié.

Il nous reçut le 21 juin, à 18 h 30. Il m'examina et me prescrivit de quoi me remettre sur pattes rapidement.

« Et vous, madame Anglade, ça va ?

– Oui, docteur. À part de petites douleurs au niveau de l'œsophage, de temps en temps. C'était passé et c'est revenu.

– Quel genre de douleurs et depuis combien de temps ? »

Elle le lui précisa.

Nivière la regarda avec beaucoup d'attention. Puis il décrocha son téléphone et conversa un moment avec un confrère. Il reposa le combiné :

« Je vous ai pris rendez-vous avec le Dr Dravet, en Avignon, pour le 24, à 9 h 30. Il va vous faire une fibroscopie.

– Vous croyez que...

– Je ne crois rien, madame Anglade, je veux simplement savoir... Vous auriez dû faire faire cet examen depuis longtemps d'ailleurs. »

Trois jours plus tard, nous nous pointions à l'heure dite à la clinique des Sources, dans les faubourgs d'Avignon.

À 10 h 45, nous n'avions pas encore été appelés. Catherine n'aime pas attendre. On lui avait dit 9 h 30, c'était 9 h 30, un point c'est tout. Elle se leva de son siège comme un diable de sa boîte à ressorts :

« On s'en va ! Je n'aime pas qu'on se moque de moi.

– Écoute, chérie, on est là, la voiture est à l'ombre, on n'a rien de spécial à faire, cet examen, selon Nivière, est important. On s'informe et on attend encore un peu.

– Reste si tu veux, le tintouin, mais moi je m'en vais. » (Elle m'appelait souvent « le tintouin » parce que, à l'en croire, j'étais sa préoccupation constante, son souci dominant. En la circonstance, le tintouin, ce n'était pas moi...)

Sur ce, le Dr Dravet ouvrit la porte de la salle d'attente :

« Désolé de vous avoir fait attendre, madame Anglade. J'ai eu un incident technique avec les appareils. Ça marche, maintenant. Si vous voulez bien me suivre... »

Une fibroscopie n'est pas à proprement parler douloureuse (j'en ai subi une, jadis) mais c'est un peu désagréable. On vous introduit, par la bouche et à l'extrémité d'un tube, une caméra microscopique qui va explorer l'organe à examiner. Je suivais tout sur l'écran de contrôle, pendant que le Dr Dravet donnait ses ordres à l'opératrice : « Descendez... Plus bas... Remontez... Redescendez... Encore... Encore... Remontez... Stop ! »

Sur l'écran, en effet, on apercevait très nettement une rougeur de deux centimètres de long, pour autant que je pouvais en juger, sur une très légère boursouflure.

Le D' Dravet libéra Catherine de ses instruments :

« J'ai fait trois biopsies au niveau du cardia, que je vais envoyer au laboratoire. On va analyser ce prélèvement. J'enverrai le résultat à Nivière... Vous avez bien fait de venir me voir. »

Le surlendemain, le D' Nivière nous convoquait :

« Il s'agit d'un petit ulcère précancéreux au niveau du cardia... Pour l'instant, ça ne semble pas encore très méchant mais vous ne pouvez pas rester avec ça, il faut opérer. Je suis en relation avec un excellent chirurgien de Montpellier. Je lui téléphone pour qu'il vous prenne dans son service. »

De retour à la maison, Catherine me dit :

« Je vais d'abord appeler Dazza et lui demander son avis. »

Elle avait, quelques mois plus tôt, rencontré ce chirurgien pour je ne sais plus quoi qui la tracassait. Ils s'étaient découverts de bons amis communs car Catherine, jadis, avait été anesthésiste avant de faire le Conservatoire et de devenir comédienne, puis productrice de télévision. De fil en aiguille ils avaient sympathisé, j'avais fait, moi aussi, sa connaissance, et le toubib était devenu un ami.

Au bout du fil, François Dazza, informé de ce qui se passait, s'esclaffait :

« Mais, Catherine, ce genre d'opération, je la fais tous les jours, et même plusieurs fois par jour ! C'est ma spécialité, figurez-vous !

— Alors c'est vous qui m'opérerez.

— D'accord. Prenez contact avec Josiane, ma secrétaire à Oudinot, au 45.67.55.65. Vous déciderez toutes les deux d'une date. »

Catherine se mit sur-le-champ en relation avec la Josiane en question et elles furent convenues d'un passage sur le billard le 7 juillet.

Par le fax de notre ami Christian Rosier, elle lui adressa également le compte rendu du laboratoire d'anatomie pathologique et de cytologie, reçu le 25, et dont je ne retranscris que la conclusion : « Existence d'un foyer de dystrophie papillaire dyscaryogène de la jonction cardio-œsophagienne à considérer comme phénomène dysplasique sévère. L'index mitotique est faible sur les trois biopsies. Aucun caractère infiltratif ne peut être mis en évidence, mais une série de nouveaux prélèvements serait souhaitable pour en éliminer toute possibilité. »

Le 7 juillet, c'était bientôt. Il n'y avait pas de temps à perdre.

« On ne va pas rester longtemps à Paris. Ne prenons que l'essentiel », m'annonça Catherine.

« Qu'est-ce qu'on fait des chats ?

– On les emmène. Ils sont tellement sages en voiture ! Et puis, qui s'occuperait d'eux, ici ?

– Nos amis Rivaud ?

– On ne peut pas leur imposer cette corvée. »

Dire que les loustics se déclarèrent enchantés du programme serait contraire à la vérité, et nous eûmes quelque mal à les convaincre de réintégrer leurs paniers. Mais, enfin, avec un peu d'autorité, on réussit à orienter le capot de la Golf en direction de Paris, le 3 juillet, sans autre problème que quelques vocalises de désapprobation.

Ça ne nous plaisait pas davantage à nous cette replongée dans les embarras de la circulation, les

27

effluves des pots d'échappement et la grisaille parisienne. Nous étions si bien, dans notre Provence, là-haut sur les monts du Vaucluse, la piscine fraîche à portée de plongeon, les parfums de thym et de lavande plein les narines, les coups de scie des cigales dans la garrigue écrasée de soleil, les sous-bois jacassants d'oiseaux, de bons amis dans les parages... Mais quoi, c'était l'affaire d'une paire de semaines, une opération assez banale, somme toute... On reviendrait. Dès que possible.

François Dazza offrait à Catherine le choix entre la clinique Oudinot ou l'hôpital Saint-Joseph (il opérait dans les deux établissements). Oudinot semblait plus douillet. Saint-Joseph disposait d'un équipement hospitalier supérieur. Elle choisit Saint-Joseph. Et c'est là qu'elle entra le 6 juillet, en fin de matinée.

Comme tous les grands hôpitaux parisiens, Saint-Joseph est une petite ville, avec ses cours pavées, ses jardins soignés, ses passages ombreux, son dédale de couloirs carrelés. Une chapelle de la dimension d'une église de village témoigne encore de la vocation originelle de l'établissement, mais l'on n'y voit plus de bonnes sœurs en cornette glisser le long des murs, les mains dans les manches. Toutefois, Saint-Joseph est resté une institution privée qui fait perdurer une atmosphère familiale et policée fondée sur une sélection sévère du personnel soignant.

Catherine fut hébergée chambre 29, au rez-de-chaussée de l'aile Notre-Dame. Sa fenêtre s'ouvrait sur les opulents feuillages de la cour d'entrée. La pièce était grande et claire, pourvue de tables et de fauteuils, avec cabinet de toilette attenant.

« Je m'y sens très bien », déclara Catherine en se fourrant dans ses draps. La journée serait consacrée aux examens qui précèdent toute opération ; elle s'y prêta de bonne grâce. Je la laissai pour la nuit et je rejoignis mes chats, rue Villehardouin, sans inquiétude majeure.

Le lendemain, je garai ma voiture de bon matin dans le parking de l'hôpital. Je tenais à être là quand Catherine sortirait du bloc opératoire.

Assis près de la fenêtre, je voyais le temps s'écouler avec une désespérante lenteur... Vers midi, enfin, elle réintégrait sa chambre sur son lit roulant, complètement ensuquée par l'anesthésie. (Le séjour en salle de réveil avait été assez bref.) Dazza la suivait de peu. Il sourit et me tendit la main :

« Ça s'est très bien passé. Mais, outre l'ablation d'un bon morceau d'œsophage, j'ai dû pratiquer une gastrectomie totale. C'était plus prudent : elle avait un estomac à risques.

– Vous voulez dire que vous lui avez enlevé tout l'estomac ?

– Oui, cher Philippe. Nous nous sommes en effet aperçus que sa tumeur était déjà bel et bien cancéreuse, et cette saloperie-là, ça va vite. Mais rassurez-vous : la nature est pleine de ressources. Une poche va progressivement se former dans ce qui lui reste d'œsophage. Cet estomac bis sera plus petit, évidemment, moins fonctionnel, mais à la longue tout à fait efficace. »

Il revint dans l'après-midi visiter sa malade et il lui redit les mêmes choses car Catherine avait exigé qu'on ne lui cachât rien. Elle s'inquiétait, cependant :

« Et je pourrai manger comme avant ?

– Bien sûr ! Et pas plus tard que tout à l'heure. Au début, naturellement, il vous faudra une nourriture très molle, facile à manger, et par toutes petites bouchées. Mais, dans six mois, vous dévorerez une choucroute sans problèmes. C'est une opération assez classique, vous savez. »

Après son départ, Catherine commenta les événements :

« Merci, docteur Nivière... Ce qui m'arrive n'est pas très marrant mais je respire quand même. Tu imagines où j'en serais, dans six mois, si j'avais écouté ces imbéciles ?... » (Il n'était pas nécessaire qu'elle me précisât à quels imbéciles elle faisait allusion.)

À 18 heures, une fille de salle poussa la porte de la chambre avec un chariot tintinnabulant. Sur le seuil, elle lança joyeusement :

« Votre dîner, madame Anglade ! »

J'aidai Catherine à s'accoter à ses oreillers. Elle découvrit les plats :

« Qu'est-ce que c'est que ça ?... »

Dans une assiette, trônait une côte de porc archicuite et que, visiblement, le couteau n'entamerait pas facilement, escortée de choux de Bruxelles baignant dans une sauce grasse...

Catherine et moi ouvrions des yeux grands comme des soucoupes :

« Êtes-vous bien sûre que c'est le repas qui convient à quelqu'un dont on vient de retirer l'estomac le matin même ?... »

À Saint-Joseph, tout semblait parfait, mais apparemment, la cuisine ne suivait pas. On sentait quelque part, et c'est le moins que l'on puisse dire, comme un petit manque de coordination...

Le soir, à la maison, j'appelai Nivière pour le tenir au courant. Il parut soulagé :

« La gastrectomie était une décision sage. Votre chirurgien a fait ce que j'espérais. Vous revenez à Gordes ?

– Oui, dès que possible.

– Venez me voir. Il faut rester vigilants. »

Je n'ai pas passé une bonne nuit...

Bien sûr, je pouvais comprendre qu'avec une tumeur cancéreuse si près de l'estomac on taillât large, très large même, pour prévenir l'apparition de métastases. Mais de là à retirer l'estomac tout entier !... Dazza nous avait-il dit toute la vérité ?... N'avait-il pas découvert que l'estomac était déjà atteint ?... Et Nivière, avec son flair d'artilleur, n'avait-il pas « vu » lui-même que Catherine était plus touchée que la fibroscopie ne le révélait ?...

À 4 heures du matin, je pris deux comprimés d'Équanyl et je sombrai dans un sommeil agité.

Je trouvais à me garer, le lendemain, rue des Suisses, tout près de l'entrée principale de Saint-Joseph. C'était plus simple, finalement, que d'errer dans le labyrinthe des allées de l'hôpital à la quête d'une place de stationnement qui ne fût pas réservée à un toubib.

31

Catherine, elle non plus, n'avait pas bien dormi, en dépit des sédatifs.

En principe, les visites n'étaient pas autorisées le matin, mais Dazza avait dû donner des instructions : personne ne m'en fit la remarque. Cela me permit de faire la connaissance des infirmières.

Catherine m'en disait du bien. On les sentait, en effet, compétentes, attentives, chaleureuses. L'inhumanité qui, trop souvent, imprègne l'atmosphère des hôpitaux parisiens ne semblait pas ici de mise. « Nous sommes assez nombreuses pour avoir le temps de nous intéresser à nos malades », me confiait Christiane.

Catherine dormait beaucoup et parlait peu, mais je ne la quittai pas de la journée. Parfois, lorsque je la voyais s'assoupir à nouveau, j'allais prendre l'air dans la galerie couverte qui mène à la chapelle, à deux pas de sa chambre. Il y avait là une boutique qui vendait des journaux, des boissons et des confiseries. Je sortais ma pipe, je m'installais en terrasse, devant un crème, et j'émiettais un croissant pour les moineaux qui picoraient sans crainte entre les tables.

Dans la soirée, Catherine me parut en meilleure forme, mais je tenais à voir ce qu'on lui apporterait pour dîner. Il semblait que mon coup de gueule de la veille ait porté ses fruits car elle ne bouda pas la purée de légumes et la compote qu'on lui servit, sans toutefois en venir à bout car la purée était tiède et la compote trop froide. Je me promis d'améliorer ses menus en ayant recours aux ressources de l'extérieur.

Le matin suivant, avant de rejoindre ma malade, je prospectai le quartier. Rue d'Alésia, presqu'à l'angle de la rue Raymond-Losserand, un traiteur proposait des préparations appétissantes. J'en fis l'acquisition et je les mis, tout content, sous le nez de ma petite bonne femme. Elle en fit, ce jour-là son déjeuner :

« Ça, au moins, c'est bon ! Merci, le tintouin ! »

Le quatrième jour, on autorisa les visites. Elle disposait d'un téléphone et, sans plus tarder, elle entra en communication avec ses amis les plus chers. Je veillai, cependant, à en réguler le flux – pas plus de deux visites par jour – de façon à ce qu'elle ne se fatigât pas outre mesure.

Mais, de jour en jour, ses progrès étaient évidents. Pour varier les menus, j'avais ajouté Fauchon à la liste de mes fournisseurs agréés. Cela me faisait faire un crochet par la Madeleine, mais la qualité et la variété des produits enrichissaient mes propositions gastronomiques.

Dazza se révélait très satisfait :

« Vous récupérez à une vitesse étonnante, Catherine. Je n'ai jamais vu ça ! À ce rythme-là, vous serez chez vous dans dix jours. »

Le fait qu'elle eût bon moral n'y était pas non plus étranger. Pour elle comme pour moi, il s'agissait d'un mauvais rêve dont nous commencions d'émerger, prêts à mordre à nouveau dans la vie, et à belles dents. Et, le 28 juillet, Mme Roscoff, la surveillante, vint lui annoncer, toute souriante :

« Madame Anglade, vous sortez après-demain. Vous vous sentez d'attaque ?

– Et comment ! »

Le 30, en effet, je fis avec elle mon dernier voyage, de Saint-Joseph à la maison.

C'était merveilleux... Un soleil généreux éclaboussait les façades. Les passants nous souriaient, en traversant la rue, avec un air de complicité. Dans le feuillage épais des arbres, les piafs se pourchassaient pour rire. Chez les fleuristes, les bouquets de fleurs coupées coloriaient les trottoirs. Catherine était heureuse, et tout l'amusait.

En entrant chez nous, son premier mouvement fut de courir vers ses chats. Les greffiers n'ont pas la notion du temps. Pour eux, elle les avait quittés la veille, et ils lui firent, par conséquent, un accueil de tous les jours, aimables et tendres, mais ni plus ni moins.

« Ce qu'on est bien chez soi ! » s'exclama-t-elle en tombant dans un fauteuil.

– Je voudrais quand même que tu te ménages. J'ai fait les courses pour plusieurs jours. Je m'occuperai des repas. Repose-toi.

– Mais, oursette, je me sens très bien ! » (Oursette est un autre des sobriquets dont elle m'affublait.)

Mis à part une certaine difficulté à avaler, je devais en effet l'admettre. On pouvait dès lors envisager un retour prochain dans la thébaïde vauclusienne.

Les amis reprirent le chemin de la maison. On les sentait heureux de retrouver leur Cathy bon pied, bon œil, un peu amaigrie, sans doute, mais aussi dynamique qu'avant. Dominique Rouchaud, Nini

Moreau et Roger Coral, Claude Sylvain, Yveline et Bob Vaucher, Olivier et Hélène de la Baume, Jean Michalon, Philippe et Carole Galardi vinrent lui souhaiter une heureuse convalescence, déposer discrètement, sur la table basse du salon, des gâteries de choix et nous embrasser avec du bonheur plein les yeux. Et, le 4 août au matin, Catherine prit le volant, pour la première fois depuis longtemps, en direction de l'autoroute A6.

On se retrouvait à la case départ. Les mauvais jours étaient oubliés. La vie recommençait.

II

Nous étions heureux, tous les quatre, de nous immerger à nouveau dans la douceur sauvage du Luberon. La gentille Mireille, passée la veille de notre arrivée, avait nettoyé les vitres de nos vingt et une fenêtres, passé l'aspirateur dans toutes les pièces, disposé avec goût, sur la table basse du séjour, un grand bouquet de fleurs des champs. Les fauteuils sur la terrasse invitaient à la contemplation ; le thermomètre de la piscine affichait une température de rêve ; les chats s'offraient une overdose de liberté. La vie était belle.

Catherine m'annonçait le programme :

« Je vais d'abord m'attaquer au mur de soutènement du fond. Je n'ai plus que six mètres à faire. Si on veut pouvoir implanter la rocaille cet été, je dois absolument le terminer.

— Je t'aiderai. Il fait près de deux mètres cinquante de haut, ce mur !

— D'accord, le tintouin. Mais on ne bâcle pas ! »

Lorsque nous construisions ensemble les murets en pierres sèches qui délimitaient et soutenaient ces terrasses de bonne terre meuble et que l'on appelle, en Haute-Provence, des restanques, j'allais plus vite

36

qu'elle, aucun doute là-dessus, mais elle me reprochait de ne pas enterrer assez profondément les moellons de la base, de ne pas donner aux murets assez de fruit, et de prendre mes pierres comme elles venaient, au petit bonheur la chance, au lieu de les appareiller avec la précision d'un horloger suisse. Elle n'avait pas tout à fait tort. Mais je la taquinais, moi, sur la lente minutie qui présidait à ses assemblages et l'attention vétilleuse qu'elle apportait au choix de ses gravillons de blocage. Ainsi, à nous deux, les excès de l'un compensant les déficiences de l'autre, nous formions une fameuse équipe de pierreux.

Suivirent trois jours d'activité intense en plein air car le temps et l'humeur s'y prêtaient.

Le quatrième jour, Catherine se leva fatiguée. J'en attribuai la raison au fait qu'elle s'alimentait mal et peu, ce qui ne lui permettait pas de compenser les efforts physiques qu'elle déployait sur le domaine. Malgré tout ce que nous imaginions pour composer des repas appétissants et faciles à ingérer, elle ne parvenait qu'à avaler quelques bouchées et, très vite, repoussait son assiette :

« Je n'ai plus faim... »

Je me rendais bien compte que son tonus baissait un peu. Elle dormait de plus en plus souvent l'après-midi, dans la chambre, parfois, mais la plupart du temps sur son matelas, près de la piscine. Elle ne travaillait à son mur qu'en fin d'après-midi, lorsque le soleil tapait moins fort et que l'ombre de la colline s'allongeait sur nos plantations.

Le 8 à midi, Annie et Christian Rosier nous reçurent à déjeuner. Nous les aimions beaucoup, et passer un bon moment en leur compagnie était toujours, pour Catherine, une fête. (C'est Christian Rosier, agent immobilier de son état, qui nous avait trouvé et vendu ce magnifique terrain boisé de trois hectares, à flanc de colline, d'où le regard embrasse toute la chaîne du Luberon, d'Apt à Oppède-le-Vieux.)

Annie nous avait notamment mitonné des coquilles Saint-Jacques à la provençale et je fus heureux de constater que Catherine leur faisait honneur. Mais, une heure plus tard, elle dut nous avouer que « ça ne passait pas... » Annie la fit s'allonger sur une chaise longue, au milieu de la pelouse, à l'ombre du grand pin parasol.

« Ce que j'avale se bloque très vite, expliquait-elle à Annie. Comme si mon œsophage était cousu quelque part... Ou trop étroit.

– N'est-ce pas un peu normal, au début ? Ton opération est récente... Tu n'as plus ni estomac ni sucs digestifs...

– Oui, mais cette sacrée poche, qui devait se former, je ne la vois toujours pas venir !... »

Deux jours plus tard, c'est chez nos voisins et amis, Jef et Nicole Rivaud, que nous avons festoyé. Ils avaient convié une pléiade d'amis pour fêter leur anniversaire de mariage et, une chaleureuse ambiance aidant, Catherine s'était montrée détendue et enjouée. Toutefois, elle n'avait touché que du bout des lèvres les goulayantes spécialités de Nicole.

Le lendemain, nos amis Rosencher, de passage dans la région, nous firent l'heureuse surprise de leur visite. Nous ne nous étions pas vus depuis long-temps et, à leurs regards, je compris à quel point Catherine avait changé. Moi qui la voyais tous les jours, je n'en avais pas pris conscience. Il est vrai que, depuis le matin, tout allait de travers. Elle n'avait pas pu garder son café ; à midi, elle n'arrive-rait à absorber que quelques gorgées de thé, qu'elle restituerait aussitôt. Tant et si bien que j'avais pris rendez-vous avec le Dr Nivière pour le soir-même.

« ... Mais pas trop tard quand même, me suppliait Catherine. N'oublie pas que Jean Amadou a fait un détour pour nous voir et qu'on le retrouve pour dîner aux "Herbes blanches". » (Jean Amadou avait été, des années durant, avec Jacques Mailhot et Jean Bertho, le pilier des émissions de divertissement qui avaient rendu Catherine célèbre : « Sérieux, s'abste-nir », « C'est pas sérieux » et la suite. Nous étions restés très liés.)

À 19 heures précises, j'immobilisai la Golf sur les gravillons de la cour de notre toubib. Il nous reçut aussitôt :

« Alors, madame Anglade, qu'est-ce qui vous amène ?

– Je ne sais pas... Depuis ce matin, je me vide... Je suis crevée... »

Il lui demanda de préciser, sans fausse pudeur à propos des détails, la fit se déshabiller, l'ausculta et revint s'asseoir :

« Je vous fais hospitaliser ce soir au Centre hospi-talier d'Apt. »

Et il décrocha son téléphone pour l'annoncer et réserver une chambre.

Catherine s'insurgeait :

« Non, pas ce soir, docteur ! Demain, si vous voulez. Jean Amadou nous attend pour dîner à l'hôtel des "Herbes blanches". Il a fait ce détour uniquement pour nous voir. Je ne peux pas lui poser un lapin

— Je suis désolé, madame Anglade, c'est ce soir, et le plus tôt possible ! »

J'approuvais sans réserve la décision de Nivière et je joignis mes efforts aux siens :

« Le plus important est de trouver rapidement ce qui ne va pas. Nous téléphonerons à Jean. Il comprendra, évidemment. »

Elle devait se sentir très mal, car elle, qui ne se plaint jamais, finit par se résigner.

Nous sommes revenus à Fontanille le temps de remplir une petite valise de l'indispensable et, à 9 heures du soir, nous arrivions à l'hôpital d'Apt où on l'attendait. On l'installa dans une chambre et le Dr Roger la prit immédiatement en mains.

« Rentre, oursette. Tu ne peux rien faire de plus pour moi. Et reviens demain matin. »

Ce que je fis.

Lorsque je revins à l'hôpital, vers 10 heures, je découvris l'horreur... Une noria d'infirmières affolées entraient et sortaient de la chambre, les unes portant des bassins vides, les autres des bassins pleins. Comme elle l'avait dit la veille, elle se vidait, littéralement, et dans des souffrances indescriptibles. Les infirmières s'interpellaient : « Henriette, viens changer les draps ! — Tiens-lui la tête !... — Laisse la porte ouverte, Renée. On n'a pas le temps !... » Un interne entrait dans la pièce en poussant devant lui une potence : « On va la mettre sous perfusion. Elle va complètement se déshydrater, autrement... »

Je courus vers le bureau de l'étage. Le Dr Roger discutait avec un collègue et l'infirmière en chef. En me voyant, il s'interrompit :

« Ça été comme ça toute la nuit... Nous ne comprenons pas ce qu'elle a. On a fait faire des analyses très tôt, ce matin, en urgence, mais le laboratoire ne trouve rien, rien de connu en tout cas. Un spécialiste des voies digestives va arriver... »

Je décidai de rester près de Catherine, naturellement. Son visage était blanc comme son oreiller, exsangue, les yeux au fond des orbites... « J'ai mal... J'ai mal... » On avait ajouté des antalgiques et des antibiotiques au sérum de la perfusion, mais rien ne semblait arrêter le reflux...

Vers 16 heures, je n'y tins plus et j'allai trouver l'infirmière en chef :

« Faites quelque chose, pour l'amour du ciel ! Remuez-vous ! Vous allez la laisser mourir ?

– Mais on s'en occupe, monsieur, ne criez pas ! Nous ne savons pas ce qu'elle a ! Nous faisons tout ce que nous pouvons. Nous essayons de comprendre !

– Alors tâchez de comprendre vite, parce que je ne vais pas la regarder me quitter en restant les bras croisés ! »

J'appris, vers 20 heures, que des prélèvements avaient été envoyés par avion à l'Institut Pasteur, à Paris. Je ne pouvais plus rien pour Catherine. On lui avait fait une piqûre calmante et elle finit par sombrer dans un mauvais sommeil. Je la laissai, dévoré d'angoisse et assuré de passer une nuit blanche...

La réponse de l'Institut Pasteur nous parvint par fax à 11 heures du matin : « Il s'agit du vibrion cholérique. Voici le traitement... »

Ainsi, c'était le choléra !...

Mais où diable avait-elle pu attraper ça ?...

En possession du diagnostic et de la marche à suivre, l'hôpital réagit avec rapidité et efficacité. Quelques heures plus tard, on enregistrait une légère amélioration.

Mais on ne se relève pas du choléra en vingt-quatre heures. Si encore elle avait disposé d'un estomac, comme tout le monde, un régime alimentaire approprié l'eût aidée à remonter plus vite la pente... Mais elle ne supportait que des potages, des purées, des compotes...

On ajouta donc quelques flacons à la potence des perfusions, c'est tout ce que l'on pouvait faire.

Informés de ce qui se passait, nos amis gordiens s'étaient mobilisés. Comme l'hôpital dépendait administrativement de la ville, notre amie Janine Revel avait alerté Georges Santoni, l'ancien député-maire, qui connaissait la cour et la ville, son successeur à la mairie, les administrations concernées. Une chaîne de solidarité s'organisa pour que le maximum d'attention fût apporté à ce cas exceptionnel qui touchait quelqu'un d'exceptionnel.

Catherine n'émergea qu'au bout de quatre jours d'une sorte de coma entrecoupé de vomissements.

Elle avait perdu dix kilos et paraissait dix ans de plus. Mais, à la longue, le traitement prescrit par Pasteur produisit ses effets.

Georges Santoni était venu la voir, et aussi Nivière que l'on avait tenu constamment au courant.

« À vingt-quatre heures près, me confiait-il, elle nous quittait... »

J'avais téléphoné à Saint-Joseph pour tenter de savoir si des Africains avaient séjourné dans la chambre qu'elle occupait. Les infirmières ne s'en souvenaient pas.

La première à venir la visiter fut Annie Rosier. D'autres amis suivirent, des paquets et des fleurs pleins les bras. Le cauchemar tirait à sa fin.

Comme à Paris, ma vie tournait et s'organisait autour de l'hôpital. Tous les matins, les chats nourris et lâchés dans la nature, je montais dans la Golf, traversais Gordes et, par la longue route en lacets qui descend du village, je rejoignais la D 102 en direction de Roussillon et, au-delà, d'Apt. Je garais la voiture dans le vaste parking de l'hôpital, heureux quand je trouvais une place à l'ombre, et je montais vers ma petite bonne femme, redoutant toujours de la trouver moins bien que la veille.

Les deux fenêtres de sa chambre ouvraient sur la campagne. Le soleil y entrait à flots et, dans l'après-midi, il fallait baisser les stores. Je m'installais près d'elle, dans un fauteuil, et nous papotions. Je lui donnais des nouvelles des chats, des amis, de la maison...

« Tu ne peux pas savoir ce que j'en ai bavé, le tintouin ! Atroce. Et je ne suis pas douillette ! Et

43

puis, en plus, cette dégradation, cette débâcle, cette humiliation !... »

Elle se rétablissait doucement. L'éternel problème était d'ordre alimentaire, bien que la nourriture fût ici de fort bonne qualité. Alors, comme à Paris, j'améliorais et je variais l'ordinaire par des razzias en ville.

Le 15 août, comme prévu de longue date, Nini Moreau et Roger Coral nous arrivaient par la route. Leur présence dans la maison m'apportait, outre la chaleur de leur compagnie, la fin de ma solitude. De surcroît, Nini partagerait désormais avec moi les soucis ménagers – ceux des repas, en particulier. Il va sans dire que leur première sortie les conduisit tout droit à la chambre 12 du Centre hospitalier d'Apt, et pour Catherine ce fut un rayon de soleil dans la grisaille des jours.

Elle avait repris un peu de poids et son moral virait du noir au rose. La perspective d'une sortie prochaine se profilait à l'horizon.

Elle eut lieu le 6 septembre. Mais, avant de partir, je fis part de notre gratitude aux médecins et aux infirmières de l'hôpital.

Quel bonheur de faire une dernière fois, et dans le bon sens, ce trajet de toutes les angoisses ! Quel bonheur de rouler vers la maison et nos chats, ma « tintouine » à côté de moi et, derrière nous, les souffrances, les peurs, les heures noires...

Les mauvais jours étaient oubliés. La vie recommençait. La vie était belle.

III

Nous avons déjeuné sur la terrasse, Nini, Roger, Catherine et moi. Je pourrais ajouter : Mimi et Lulu aussi, car ils n'ont cessé de mendigoter, entre nos jambes, tantôt une crevette rose, tantôt un blanc de poulet.

« Ils sont très mal élevés, s'excuse Catherine auprès de nos amis. (Elle se tourne vers moi.) C'est plus ta faute que la mienne, Philippe. Tu cèdes à tous leurs caprices ! »

J'en conviens volontiers. Mais leur compagnie, tout au long de ces semaines d'angoisse, m'a tant apporté, tant distrait et, souvent, tant ému que j'en ai quelque peu négligé les bonnes vieilles règles de l'« éducation puérile et honnête ». En fait, Catherine le comprend très bien et m'absout.

Le temps est au beau fixe. Notre humeur aussi. Et quoi de mieux que de conjuguer l'un et l'autre en compagnie de bons amis ?

Catherine se rétablit doucement.

Nos amis gordiens le savent et s'en réjouissent, et tant d'invitations nous parviennent qu'il faut, nécessairement, faire des choix, étaler dans le temps, ménager des pauses. On l'aime, Catherine. Elle

45

amuse, émeut, étonne, fait rire, intéresse et inquiète, aussi car on voudrait qu'elle s'en sorte une bonne fois !

Alors nous faisons tous ce qu'il faut pour ça. On l'entoure, on la distrait, on la conseille. Nini et moi imaginons des recettes qui marient ses goûts et ses pauvres capacités, et, parfois même, elle fait de vrais repas. La fête !

Ça ne va pas durer, malheureusement. Car voilà qu'elle nous fait une mycose géante... La mycose, est une invasion de champignons microscopiques, une vraie saleté. Sa bouche, le fond de sa gorge, l'œsophage en sont entièrement tapissés, et ça complique un peu plus ses problèmes d'ingestion.

Informé, le Dr Roger nous attend au Centre hospitalier d'Apt. Le traitement est classique : Fungizone à haute dose. C'est dégoûtant, ce machin-là, mais il faut en passer par là, et Catherine, stoïquement, avale des flacons entiers de cette boue épaisse et jaunâtre.

Claude Sylvain, qui vient relayer Nini et Roger, rentrés à Paris, tombe à pic pour nous aérer les idées car elle compte sur nous pour lui faire découvrir ce Luberon dont nous lui rebattons les oreilles depuis des années. Et comme, côté mycose, les choses ont l'air de s'arranger un peu, on va la promener, l'amie Claude, de Roussillon à l'Isle-sur-la-Sorgue, de Ménerbes à Cucuron, de Fontaine de Vaucluse à Carpentras.

Claude Sylvain est la plus vieille amie de Catherine. Elles se sont connues il y a quarante ans et, depuis, elles ne se sont pratiquement pas quittées. On ne peut imaginer deux êtres plus dissemblables : elles n'ont ni les mêmes goûts, ni les mêmes préoccupations, ni les mêmes idées, ni la même façon de vivre. Et, malgré cela – ou à cause de cela, peut-être ? – elles s'entendent comme larrons en foire et se vouent mutuellement une affection en béton armé. Que de bons souvenirs nous avons ensemble ! Chez elle à Passy, notamment, dans cette belle propriété où nous avons passé moult week-ends quand Francis et Claude nous y accueillaient aussi, des mots d'esprit plein sa musette... L'amour que Catherine porte aux chats est né à Passy, justement, par la grâce de madame Zouzou, la chatte fantasque de Francis et Claude, qui passait des heures sur ses genoux, à l'ombre des noisetiers. C'est si loin et si près, tout ça !

Avec l'arrivée de Claude et les petits progrès de Catherine, je peux envisager ce voyage rapide à Paris que je retardais de jour en jour. J'ai en effet entrepris, en collaboration avec mon ami Guy Sabatier, ancien député, la rédaction d'un *Dictionnaire du gaullisme*, une somme qui manquait à la geste gaullienne. Il s'agit d'un énorme travail de recherches, de compilations et d'écriture car nous le voulons complet, cet ouvrage, et nous devons périodiquement nous concerter, Guy et moi, puisque nous nous sommes répartis les tâches. Pour toute la partie historique du gaullisme, j'ai dessein de m'appuyer sur les riches archives de l'Institut Charles de Gaulle, et son président, Pierre Messmer, m'a donné rendez-vous le 21 septembre.

Catherine et Claude m'accompagnent à la gare d'Avignon. Je ne serai absent que cinq jours mais je m'en veux un peu d'abandonner ma petite bonne femme, même si je sais que Claude veillera sur elle comme une mère poule. Elle me l'assure d'ailleurs :

« Je vais la chouchouter, le tintouin, ne t'inquiète pas. Et je lui ferai de bons petits plats ! »

Le 23, je suis de retour :

« Tu n'as guère grossi mais tu n'as pas mauvaise mine, ma chérie.

— Près de la piscine, c'est fou ce que je bronze vite !... Comment s'est passé ton séjour ?

— Très bien. Albin Michel est d'accord pour éditer notre dictionnaire. Et toi, quoi de neuf ?

— Te souviens-tu de ce toubib dont Béatrice nous avait parlé ?

— Lequel ? On en a vu tellement !

— Ce type qui soigne avec des herbes... C'est toi qui voulais qu'on le consulte.

— Oui c'est vrai. Les plantes, si ça ne fait pas de bien, ça ne peut pas faire de mal. Il faut tout essayer.

— Tout, je ne sais pas, mais là, en effet, je ne risque rien. »

Nous sommes allés le voir, cet artiste. Il habite un petit village de trois cents âmes, de l'autre côté du Luberon. Il nous a reçu dans un bureau très sombre qui était un véritable capharnaüm et il a longuement interrogé Catherine. Puis il lui a demandé de poser les deux pieds sur une plaque de métal et des dessins étranges sont apparus sur un écran. Il en a tiré, semble-t-il, des conclusions qui ont inspiré le traitement qu'il a préconisé : de jolies capsules colorées dans de jolies boîtes. Bon. Pourquoi pas. Allégés de cinq mille francs, nous avons repris la route, pas très convaincus quand même...

Tout essayer...

Et les jours se suivent et se ressemblent...

Pendant que les filles tirent des brasses dans la piscine, j'arrose les plates-bandes, je plante des santolines (« Espace-les bien, oursette, tu sais comment elles deviennent en grandissant ! »), je désherbe les restanques, les chats dans mes jambes, et, mon labeur achevé, j'apporte les apéros et les zakouskis sur les dalles de la plage où ces dames rôtissent.

Nous avons décidé de passer octobre ici, pour rattraper un peu le temps perdu cet été. Cela nous permettra aussi de recevoir d'autres amis, Jean Michalon qui a réussi à s'évader quelques jours de l'enfer parisien, Stella Barral qui séjournait dans la région, Philippe et Carole Galardi qui nous replongeront dans les souvenirs, tout frais encore, de Cognacq-Jay, des Buttes-Chaumont et de la Maison de la Radio, ces temples de la télévision que nous avons hantés, Catherine et moi, des décades durant. Alors, pendant des heures, Catherine et Philippe « parleront boutique », et je verrai un peu de nostalgie passer dans les yeux de Catherine...

Philippe et Carole sont des forces de la nature, des optimistes lucides. Ils disent à leur grande amie les mots d'encouragement qui réchauffent le moral :

« Vous n'avez pas eu besoin de chimiothérapie, Catherine, c'est formidable ! Il est pourtant rare qu'on puisse s'en passer.

– De toute façon je l'aurais refusée. Je ne veux pas perdre mes cheveux.

– Mais ça repousse ! Et puis, il y a les perruques...

– Je sais, mais je suis bêtement superstitieuse, je n'y peux rien. Quand j'étais jeune, j'ai fait un rêve, un cauchemar plutôt. Je perdais mes cheveux et j'allais mourir. Depuis, je ne les ai jamais coupés. »

C'est vrai, je peux en témoigner. Elle se les fait effiler régulièrement, mais jamais couper. Sa chevelure, qui est magnifique, lui tombe jusqu'aux reins lorsqu'elle ne les noue pas en chignon ou en tresses. Et moi, je sais bien que rien ne la fera changer d'avis.

Au demeurant, la question n'est pas à l'ordre du jour. Elle a surmonté le choléra au prix de quelques kilos, la gastrectomie a été réussie, les examens sanguins s'améliorent, il n'y a donc aucune raison de voir l'avenir en noir. Au reste, après l'opération, et à Catherine qui lui demandait quelles étaient ses chances d'en avoir fini avec le cancer, Dazza avait répondu : « Quatre-vingt dix chances sur cent de votre côté, Catherine. Et encore, je compte dix pour cent de malchance par prudence. »

Ce qui fait toujours problème, en revanche, c'est ce bout d'œsophage qui ne se décide pas à se dilater. Sur le conseil des Drs Nivière et Roger, Catherine a fractionné ses repas – si on peut appeler repas les quelques bouchées qu'elle est capable de déglutir –, et on s'efforce de respecter les horaires : 8 heures, 10 heures, 13 heures, 16 heures, 20 heures. Ce sont des dînettes, chaque fois, mais elle ne peut pas faire mieux. Chez nos amis, pourtant, lorsque nous sommes invités à partager leurs agapes, tout se passe mieux, comme si l'amitié ambiante, les conversations, la bonne humeur qui règne autour de la table et, disons-le aussi, le raffinement des recettes proposées faisaient oublier à ce fichu organisme toutes les entraves à son bon fonctionnement. Je crois, du reste, en avoir trouvé la raison :

« Quand, chez Michel et Samir, Maguy te met sous le nez une de ses spécialités subtiles, cela te fait saliver, et la salive remplace les sucs gastriques que tu ne sécrètes plus.

– Je crois que tu as raison, le tintouin. Il ne te reste plus qu'à me faire saliver tous les jours... »

Croyez-moi, je m'y emploie ! Car Catherine, depuis qu'elle a quitté l'hôpital, me laisse souvent mettre la main à la pâte. Un événement ! Elle ne m'a jamais dénié des capacités culinaires et, d'ailleurs, elle dit à qui veut l'entendre que je suis un excellent saucier. Ce n'est donc pas la crainte de me voir gâcher un repas qui l'incitait à me tenir loin des fourneaux mais le fait, simplement, que, « comme tous les hommes » il paraît, je salis trois casseroles au lieu d'une, quatre plats de Pyrex au lieu d'un et six assiettes là où une seule aurait suffi. « Tu me fais un vrai chantier, le tintouin. Lave donc au fur et à mesure, comme moi !... »

Ces petits détails, aujourd'hui, ne sont plus de saison. Alors j'ai les mains libres et je m'amuse à inventer des recettes qui, parfois, sont des réussites.

L'automne, de nouveau, est arrivé sur la pointe des pieds... Il raccourcit les jours, allonge les nuits et jaunit les feuilles.

Les chats sont moins souvent dehors. Petitjean est venu vider la piscine aux deux tiers et démonter une partie de la machinerie complexe qui filtre l'eau et la régénère par électrolyse. Nous avons taillé les santolines jusqu'au bois et entouré de paille les jeunes plants fragiles. La Golf est passée chez Chauvin. Les pleins sont faits, la pression des pneus vérifiée. Demain, direction Paris...

IV

Ce 2 novembre 1993, Catherine fêterait le soixante-quatrième anniversaire d'une discrète et prometteuse entrée en ce bas monde. Et où pouvait-on le mieux célébrer l'événement sinon qu'à l'« Émile », le sympathique restaurant de Nini Moreau et Roger Coral ?

Toute une histoire, l'« Émile » ! Quelques années plus tôt, notre ami Benoît Isorni, las de se faire arnaquer par des Espagnols aux dents longues, se décidait sans regrets à mettre la clé sous la porte de son auberge de Marbella et il s'associait avec sa copine Nini pour en ouvrir une autre rue Jean-Jacques-Rousseau, dans le quartier des Halles. Un an plus tard, hélas, la maladie emportait Benoît, et Nini se retrouvait seule, avec l'« Émile » sur les bras, et une expérience réduite aux acquêts. Mais Nini a roulé sa bosse dans les milieux de la danse, du théâtre et du journalisme, et comme elle est, de surcroît, sympathique en diable, elle a fait le plein de relations distinguées, lesquelles, informées de ce qu'elle tenait table ouverte, accoururent coudes au corps.

Nous en avions fait autant, ce 2 novembre. Et ce fut une bien bonne soirée.

53

Dix jours plus tard, nous avions rendez-vous avec François Dazza, clinique Oudinot. Catherine lui fit part de ses problèmes.

« Voyez un bon nutritionniste, ma petite Catherine, et ne perdez pas courage : chez certains, la poche est plus lente à se former que chez d'autres. »

Un bon nutritionniste ? Apfelbaum, naturellement. Nous avions une bonne introduction, justement : son assistante était une amie...

Le Pr Apfelbaum nous reçut le 30 novembre à l'hôpital Bichat. Ce cas, incontestablement, sortait de l'ordinaire mais cet éminent spécialiste le connaissait bien évidemment. Il rédigea, au profit de Catherine, un programme approprié qui combinait tous les éléments nutritifs nécessaires.

À la lecture, ça semblait un peu affolant... Toutes les heures, elle avait quelque chose à avaler, liquide ou solide, ce qui promettait de faire des journées un long banquet coupé d'entractes. Pour quelqu'un qui, toute sa vie, n'a fait qu'un repas par jour, – celui du soir –, le problème de la nutrition risquait fort de tourner à l'obsession...

Ce régime, cependant, était le meilleur que l'on puisse imaginer pour pallier les déficiences organiques de ma « tintouine », mais elle ne se sentit pas la force de le suivre... Pendant trois jours, nous vécûmes, elle et moi, un œil sur la pendule et l'autre sur l'assiette, et puis elle déclara forfait :

« Je n'y arriverai pas, oursette. On va s'en tenir à quatre ou cinq collations par jour, comme avant, d'accord ? »

J'avais repris mon travail, sans aucun déplaisir, je dois le dire, car mes diverses activités constituaient un dérivatif bienheureux aux idées noires qui, en dépit de tout, papillonnaient dans ma tête. Je ne m'en complexais pas pour autant car la chaîne des amis me garantissait que Catherine, pendant mes absences, serait surveillée, couvée, assistée.

Elle devait aussi se soumettre à de multiples examens de contrôle : analyses, radiographies, tests divers... Celui des trois marqueurs, en particulier, se révélait inquiétant. À telle enseigne que Dazza, en ayant pris connaissance, prescrivait une série de radios et de tomographies de tous les organes vitaux.

L'image que donnait le foie nous valut une nouvelle convocation à l'hôpital Saint-Joseph. Dazza et son assistante, le Dr Greco, nous attendaient en consultation. Comme à l'accoutumée, il alla droit au but :

« Nous avons dépisté cinq taches sur votre foie, Catherine. Il y a de très bonnes chances pour qu'il s'agisse d'angiomes, auquel cas, ça n'a aucune importance. Mais nous devons pousser les investigations plus loin. »

Le résultat des prélèvements nous fut communiqué le 21 décembre. Claude Sylvain nous avait exceptionnellement accompagnés.

« Alors, François, vous avez trouvé quoi ? » s'enquit Catherine sans émotion apparente.

– Ce n'est pas une bonne nouvelle, Catherine... Vos tâches sont cancéreuses, aucun doute là-dessus. Mais comme elles sont en surface, je vais pouvoir opérer sans problèmes.

– Ça se fera comment ?

– Imaginez une petite cuiller qui retire sur un gâteau des parties brûlées. C'est aussi simple que ça. Et puis, vous le savez sans doute, le foie, ça repousse.

– Alors, à présent, quelles sont mes chances d'en sortir ?

– Je vous avais dit, après la gastrectomie, neuf chances sur dix, n'est-ce pas ? Aujourd'hui, et compte tenu de ce que nous avons découvert, une chance sur quatre... »

Du coin de l'œil, je vis que des larmes coulaient silencieusement sur les joues de Claude...

Le coup était rude, mais Catherine restait de marbre :

« Une chance sur quatre, ça n'est pas mal. On va la jouer.

– Très bien, Catherine ! C'est comme ça qu'il faut prendre les choses. Une guérison, c'est, pour dix pour cent, la médecine et, pour quatre-vingt-dix pour cent, le moral du malade. Quand voulez-vous être opérée ? »

Catherine sortit son agenda de son sac :

« Pas en lune descendante, en tout cas. Tout va de travers en lune descendante, j'ai pu le constater. Voyons... La lune noire tombe le 11 janvier. Après cette date-là, quand vous voudrez.

– On dit le 14 ?

– Va pour le 14. »

Le soir, assis au calme près de la cheminée, nous avons échangé nos impressions :

« Je vais m'en sortir, le tintouin, ne te ronge pas.

– J'en suis sûr ! On va se battre ensemble. »

Mais la volonté n'exclut pas la lucidité, et Catherine avait décidé de mettre en ordre ses affaires. Au cas où. « Prendre des précautions, me disait-elle, n'a jamais fait mourir personne. » Claude connaissait un bon notaire. Nous sommes donc allés voir Mᵉ Serre, et nos deux testaments ont été enregistrés en bonne et due forme.

Dazza avait recommandé :

« Reposez-vous au maximum avant cette nouvelle opération. »

Oui, on pouvait essayer... Mais, chez nous, le téléphone sonnait sans interruption et Catherine n'a pas l'art et la manière de faire les communications courtes. Alors souvent, le soir, la fatigue se lisait sur son visage.

« Achetez donc un répondeur ! nous serinait Nini.

– Qu'est-ce que ça changera, ma Nini ? Il faut bien rappeler les amis qui ont laissé un message...

– Oui, mais tu le fais quand ça te convient au lieu d'interrompre tes repas ou d'être réveillée quand tu fais la sieste. »

J'avais souflé à l'oreille de Nini :

« Achète-le pour nous, s'il te plaît. C'est toi qui as raison. »

Ce précieux serviteur fit son entrée dans la maison la veille de Noël. Il allait changer notre vie, la mienne surtout.

Début janvier, je conduisis Catherine à Saint-Joseph pour toute une série d'explorations préalables à l'opération et un entretien avec l'anesthésiste, et, le 13 au matin, elle s'installait dans la chambre qu'elle avait occupée en juillet. Elle y retrouvait son décor, ses habitudes, ses infirmières, sa vue sur cour et ses tristes menus.

Nouveau et saumâtre retour à la case départ...

Cette nuit-là non plus je n'ai pas bien dorrni... Dazza, certes, s'était montré rassurant, mais que le foie soit déjà atteint me paniquait...

Je ne me souviens pas d'avoir vraiment fermé l'œil... Il faisait encore nuit lorsque je me suis levé.

L'opération était programmée pour 9 heures, mais je voulais être là lorsqu'on viendrait la chercher pour la conduire au bloc opératoire – être là et partager avec elle l'angoisse qui précède inévitablement une intervention de cette importance.

Je l'ai trouvée calme, sans doute un peu assommée, déjà, par les calmants qu'on lui avait injectés en intraveineuse. Un peu après 8 heures, les infirmiers sont entrés. Ils ont ouvert la porte à deux battants, ont décollé doucement le lit du mur et l'ont roulé dans le couloir. De la main, en passant la porte, elle m'a fait un petit signe et un sourire.

Dazza m'avait dit qu'il me rejoindrait, après l'opération, dans la salle d'attente des consultations, au rez-de-chaussée du bâtiment. Et c'est là que je me suis rendu.

Je savais que l'opération serait longue et délicate.

Je pris un magazine dans la pile, à côté de moi, et je le feuilletai distraitement, sans rien voir de ce qu'il contenait.

L'horloge murale grignotait les minutes avec une insupportable lenteur...

Soudain, au bout du couloir qui me faisait face, je vis venir vers moi Dazza. Comment, déjà ?...

Je me levai d'un bond et courus vers lui.

Il me poussa doucement contre le mur et me mit les deux mains sur les épaules. Son visage était gris.

« C'est mauvais, très mauvais... Des métastases partout... J'aurais pu enlever sans problème un morceau de foie, mais le foie tout entier, impossible... J'ai refermé sans opérer. Soyez courageux, Philippe. Elle est condamnée. »

Le ciel me tomba sur la tête.

Il était 10 h 12 du matin.

Les instants qui suivirent, je les ai vécus hors du temps...

Francois Dazza m'avait entraîné dans une petite pièce attenante à son bureau et il m'avait fait servir un café très fort. J'ai repris pied doucement.

Il me tenait la main... Il l'a lâchée pour s'essuyer les yeux...

Et puis je lui ai demandé :

« Combien de temps ?

– Un an tout au plus.

– Un an !... C'est très peu. Et c'est aussi beaucoup... Qu'est-ce qu'on lui dit ?

– Rien. Dans son cas, il n'y a qu'une chance sur un million pour que la rémission dure plusieurs années, mais ça s'est vu. Si on veut qu'elle puisse la courir, cette chance, il faut qu'elle garde un bon moral. Je lui dirai que l'opération s'est très bien passée.

– Elle va quand même décliner, elle va s'en rendre compte !...

59

– Oui, sûrement, un jour ou l'autre. Le plus tard possible, j'espère. Mais si elle sait la vérité, elle va se laisser couler tout de suite. Vous la connaissez ?... Une chance sur un million, quand même... C'est pour vous, Philippe, que ça va être le plus dur. Il faudra mentir. À elle et à tout le monde. Ça ne va pas être facile... »

Après le départ de Dazza, je suis sorti et j'ai erré, une heure peut-être, dans les jardins de l'hôpital. Il fallait que je reprenne pied, que je me calme, que je retrouve surtout la force de lui sourire...

Le froid était vif mais je n'en avais pas vraiment conscience. Je portais sur tout ce qui m'entourait un regard désespéré...

Jusqu'à cette minute, j'avais espéré. Était-il possible qu'après en avoir tant subi et tant surmonté, le couperet s'abatte sauvagement ?... Pourquoi elle, pourquoi nous ?... Défilaient dans ma tête les visages, gris d'ennui, d'hommes et de femmes dont nous savions que plus rien ne les unissait et tout disposés à vivre la mort de l'autre comme une délivrance. Alors, pourquoi nous que rien ne séparait ? Pourquoi nous qui nous aimions plus que tout au monde ?...

Je me suis trouvé par hasard devant la chapelle de l'hôpital. Je ne suis pas entré mais j'ai dit à Celui qui se trouvait de l'autre côté de la porte :

« Je vous ai adressé hier soir ma dernière prière. Je ne vous ennuierai plus, soyez tranquille. Je ne vous demanderai plus jamais rien. Plus jamais ! Je sais maintenant que c'est inutile. »

Et j'ai tourné les talons.

60

Puis je suis entré m'informer dans l'aile Notre-Dame, toute proche.

« Elle est encore en salle de réveil, monsieur Ragueneau, revenez dans une demi-heure. »

Petit à petit j'ai recouvré mes esprits. J'avais été sonné comme un boxeur envoyé au tapis et je revenais à moi, encore groggy mais déjà conscient. Un an, quand même, c'est mieux que rien... Ça peut être beaucoup même... On peut trouver le remède miracle en un an, ou une nouvelle thérapie, qui sait ? On peut encore se battre ! Une chance sur un million... Pourquoi pas pour nous ?... Je l'emmènerai à Gordes, dès que possible. Elle y est heureuse. Nous verrons nos amis, et Nivière... Qui, déjà, m'a parlé de cet ermite plus ou moins rebouteux qui obtient des résultats étonnants dans des cas désespérés ?... Ça me reviendra. On va se battre !

Quand j'ai poussé la porte de la chambre 29, je me sentais capable de faire bonne figure. Catherine a ouvert les yeux, m'a souri, et les a refermés.

« Il faut la laisser se réveiller tout doucement, a dit Josiane. Je vais lui préparer du thé. »

Je me suis assis dans le fauteuil, tout près du lit, et j'ai pris sa main.

Un peu plus tard, elle a émergé du sommeil et a tourné la tête vers moi :

« Ne parle pas, ma chérie. On va t'apporter du thé... Ça s'est très bien passé, Dazza te le dira. Tu sortiras bientôt. »

De nouveau elle m'a souri. Et j'ai reçu ce sourire comme un coup de poignard.

V

J'étais entré dans une autre forme d'existence qui, à la fois, m'éloignait et me rapprochait de Catherine. Elle m'en éloignait en ce que, pour la première fois depuis que nous nous connaissions, il y avait entre nous le mensonge ; elle m'en rapprochait parce qu'il ne dépendait plus que de moi qu'elle assume, dans la sérénité, les derniers mois de sa vie et marche vers l'inéluctable à travers des instants de bonheur tranquille.

Les Drs Colbert et Gréco, qui s'occupaient d'elle désormais, s'ingéniaient à lui adoucir les épreuves. C'est ainsi qu'ils avaient décidé de lui implanter un port-à-cath pour que les perfusions, dont elle ne pouvait pas se passer, fussent à la fois faciles et indolores. (Le port-à-cath est un boîtier que l'on place sous la peau, à hauteur du sternum, et qui est connecté en permanence à une grosse veine. Un griper permet de loger l'aiguille des injections, non plus dans la chair du malade, mais dans cette chambre, le débit des liquides étant réglé, par pression, sur le tube, d'un clamp.)

Dazza était passé et, comme convenu, il l'avait assurée que le foie avait été parfaitement nettoyé et que rien, désormais, ne devait empêcher un complet rétablissement. Alors Catherine se remit à espérer.

Elle s'inquiétait, pourtant, de ne pas reprendre de poids. La raison, on la connaissait : une quasi-impossibilité de s'alimenter par voie orale. Or, de ce côté-là, les choses semblaient empirer...

Intrigués quand même, les médecins prescrivirent une nouvelle radiographie, qui révéla que ce qui lui restait d'œsophage s'était presque complètement refermé. Cette sténose sévère, à l'endroit de la suture opératoire, appelait une autre intervention : la pose d'un anneau à l'intérieur de l'œsophage de façon à en tenir les parois écartées.

Le 9 février, à 16 heures, une ambulance venait chercher Catherine pour la conduire à la clinique de l'Alma, rue de l'Université, spécialisée dans ce type d'opération.

Nouveau décor, nouveaux médecins, nouvelles infirmières, nouvelles souffrances aussi, car on ne nous avait pas caché que les suites opératoires seraient très douloureuses...

J'enrageais ! À quoi bon tout ça ? Pour quelles perspectives inaccessibles ?... D'un autre côté, pouvait-on y échapper ? La Faculté faisait son métier : maintenir en vie le plus longtemps possible en dépit des échéances programmées...

L'intervention eut lieu le 10 au matin. Dans l'après-midi, je retrouvais une pauvre chose endolorie et démoralisée. Je m'efforçai de la distraire mais elle gémissait faiblement et ne semblait pas m'entendre... Et puis, le lendemain, l'ambulance la ramena à Saint-Joseph. Et la vie reprit comme avant, si on peut appeler cela une vie !

Les amis avaient retrouvé le chemin de l'hôpital. À Francis Rey et Henri Rosencher, tous deux médecins, je ne manquais jamais de demander de jeter un œil sur les traitements affichés et, s'ils en avaient l'opportunité, d'interroger les médecins traitants, non point que je fusse a priori méfiant mais parce que deux avis valent mieux qu'un. À tous, naturellement, il fallait faire bonne figure : « Elle va mieux. Le chirurgien qui l'a opérée est très satisfait et confiant, et, avec cette prothèse dans l'œsophage, elle va pouvoir enfin faire honneur aux menus ! »

Mais, justement, la prothèse en question lâcha la semaine suivante. Il fallait tout recommencer. « Avec, cette fois, un anneau en acier, nous avait-on dit. Mais, vingt-quatre heures avant la pose, on va introduire un ballonnet et le gonfler pour assouplir les parois. » Réjouissantes perspectives.

En conséquence de quoi, retour à la clinique de l'Alma. Bloc opératoire. Réveil de cauchemar...

Allions-nous un jour en voir la fin ?...

Pas encore. À peine revenue à Saint-Joseph, elle allait payer aussi toutes ces semaines de lit, de médications variées et une certaine absence de pharmacovigilance : mycose, eczéma, escarres et aphte se combinèrent pour lui rendre l'existence un peu plus insupportable... On l'installa sur un matelas à eau et de nouveaux remèdes furent mis en batterie.

Je rentrais chaque soir, à la maison, un peu plus abattu que la veille. Mais, pour autant, je ne désarmais pas. Tout essayer !... Tout essayer !...

Une de mes lectrices m'avait signalé un traitement à base d'extraits embryonnaires qu'administrait le Dr M..., à Genève, et dont elle me disait grand bien. Je me mis aussitôt en relation avec lui et lui exposai le cas. Il fut très net :

« Mon traitement ne peut en aucun cas guérir un cancer. Mais il est susceptible de lui valoir une rémission importante. En tout cas, je l'ai observé chez de nombreux malades que j'ai soignés. À vous de voir si vous voulez le tenter. Mais j'insiste bien, n'attendez pas une guérison. »

Je m'en suis aussitôt ouvert aux médecins de Saint-Joseph, et à Catherine aussi, bien entendu. Tous affichaient un scepticisme poli. Mais, comme j'insistais, Dazza finit par me dire qu'il ne s'y opposerait pas. La plus réticente était Catherine elle-même. Pour me donner le temps de la convaincre et ne pas en perdre non plus, je résolus de passer commande du produit en question et de le conserver dans mon réfrigérateur le temps voulu. La difficulté, cependant, tenait au fait que j'étais plus souvent à l'hôpital qu'à la maison et que le colis, expédié en urgence, en avion et contre remboursement risquait de m'arriver pendant une absence, de retourner à la poste et de s'y dégrader irrémédiablement. J'eus donc l'idée de demander au dévoué Jean Michalon de le réceptionner dans ses bureaux de la rue des Beaux-Arts, où il y a toujours quelqu'un, et qui dispose providentiellement d'un frigo où l'on entrepose les pellicules. Comme je m'y attendais, il accepta d'emblée. Il fut livré deux jours plus tard et je le remboursai séance tenante car le coût du traitement était très élevé.

Ce n'est qu'au cours de la semaine suivante que Catherine se laissa fléchir. J'allai aussitôt chercher les précieux flacons chez notre ami Jean, les plaçai dans un sac réfrigéré et, à l'hôpital, les remis aux infirmières.

C'est Lucienne, le lendemain, qui administra les piqûres. Il en fallait cinq, en sous-cutané, de dix minutes en dix minutes, et en des points très précis : des méridiens d'acupuncture. Par exemple, pour l'« embryon total » : à quatre travers de doigt au-dessus de la symphyse pubienne. Dix minutes plus tard, le reste du flacon sous la langue. (J'avais tout noté par téléphone.) Outre l'embryon total, il y avait des extraits de foie, de surrénale, de thymus et d'estomac. Ce même traitement devait être administré pendant cinq jours. Un mois plus tard, on récidiverait.

Au terme du cinquième jour, Catherine déclara qu'elle se sentait beaucoup mieux. Sur le traitement et ses effets, les avis étaient partagés : l'un des toubibs parlait, à propos du mieux ressenti, d'auto-suggestion pure et simple ; un autre ne niait pas la possibilité d'un plus grand confort, allant même jusqu'à rappeler que, touchant certaines thérapies, les Français traînaient souvent les pieds et se laissaient distancer par d'autres.

On m'avait fourni une autre piste, mais celle-là s'avérait impraticable car le traitement miracle en question ne s'administrait que dans une clinique privée d'Amsterdam. Tout à fait exclu d'y transporter Catherine, même par avion sanitaire.

À la maison, j'avais mis le répondeur au service des amis... Tous les matins, j'enregistrais un « bulletin de santé » qui les informait très précisément de l'évolution de la situation et les dispensait de m'appeler. Par exemple : « Bulletin de santé n° 12. Catherine, pour la première fois depuis longtemps, a fait un déjeuner presque copieux. Sa prothèse a l'air de tenir. Du même coup, son moral a fait un bond vers le "beau fixe". Les escarres ont presque complètement disparu, et l'eczéma aussi. Elle vous dit toute son amitié. »

Ces enregistrements quotidiens constituaient une redoutable épreuve. Je faisais de mon mieux pour faire passer dans les messages ma confiance et mon bonheur de la voir émerger alors qu'aucune amélioration ne se dessinait, ni ne pouvait se dessiner, en dépit des efforts qu'elle faisait elle-même pour accueillir joyeusement ses visiteurs. Je garde de cette période un souvenir horrifié.

Chez Fauchon, on commençait à me connaître. « Et pour aujourd'hui, monsieur Ragueneau, qu'est-ce que ce sera ?... » J'aimais voir Catherine s'exclamer devant mes trouvailles de la matinée et j'aimais davantage encore la voir les savourer. Que cette estimable maison soit remerciée pour les petits bonheurs qu'elle nous a procurés.

Cela ne suffisait évidemment pas pour lui refaire un début de santé. De surcroît, elle souffrait en permanence, de façon plus ou moins vive selon les jours et les moments, mais sans discontinuer. Pour lui permettre de se nourrir un minimum, les médecins envisageaient de substituer, à l'alimentation parentérale, c'est-à-dire par voie de perfusion, une alimentation antérale qui consisterait à introduire un

67

tube dans le nez et à le faire descendre jusque dans l'œsophage. Catherine avait refusé cette nouvelle forme de torture. On palliait donc comme on pouvait tous ses déficits, toutes ses gênes et toutes ses souffrances par le truchement d'une batterie de médicaments administrés par voie orale ou intraveineuse, en rafale ou successivement. Bien décidé à me tenir informé des traitements prescrits, je notais le nom des produits. La liste était impressionnante : Valium, Largactil, Prodafalgan, Cali, Motilium, Maalox, Rivotryl, Totamine concentrée, Synacthène, Prépulsid, Imodium, Créon, Solumédrol, Doliprane, Lexomil, Gaviscon, Skenan, Fungizone, Gelox, Spasfon, Plitican, Surfalem, et j'en oublie...

Le soir, chez moi, j'appelais des amis médecins : « Ça, c'est pour quoi ?... Qu'est-ce que tu penses de ce médicament ?... N'y a-t-il pas mieux que ce truc-là pour calmer les spasmes qui l'empêchent de déglutir ?... »

Ces consultations multiples et à distance ne sont pas recommandées. On accumule des avis plus ou moins contradictoires et on récolte plus de doutes que de certitudes. Mais j'avais besoin d'être rassuré ou, à l'inverse, alerté et parfois conseillé. Tout essayer !...

Mais comment Catherine pouvait-elle résister à ce bombardement de gélules, de cachets, de suppositoires et d'injections ? Et pour quel résultat ?... Nul, en vérité.

« Vous devriez consulter le service des Soins palliatifs » me glissa un jour une infirmière, dans l'oreille, comme s'il se fût agi d'un secret violé...

Ce service fonctionnait à l'autre bout de l'hôpital, dans un bâtiment annexe. Je fus reçu par une doctoresse qui m'écouta, me promit de visiter Catherine et de consulter ses médecins. Ce qu'elle fit.

Trois jours plus tard, je la revoyais et, en présence d'un autre médecin, je vidais mon sac :

« On vous a mis au courant de la situation, n'est-ce pas ? On ne peut plus rien pour elle, ici, vous êtes bien d'accord ? Je voudrais la ramener à la maison. Quel est votre avis ?

– Faites-le sans hésiter. Prenez contact avec l'HAD de Bagnolet.

– C'est quoi, ça ?

– L'hôpital à domicile. Ils sont très bien. Et, pour eux, la morphine n'est pas un poison interdit. Votre femme est sans illusions, vous savez...

– Je ne sais pas... Elle vous l'a dit ?

– Elle l'a laissé entendre.

– Je crois qu'elle plaide le faux pour savoir le vrai. En tout cas c'est décidé, je la prends avec moi. »

Cela se passait le 19 mars.

Le 21, Catherine me revenait rue Villehardouin. C'est François Dazza qui avait tenu à l'y conduire en voiture.

La veille, j'avais pris contact avec l'HAD et demandé que l'on me livre une potence avec tous les produits qu'elle recevait en perfusion. Et tout était là, en effet, lorsque nous sommes arrivés.

Dans la soirée, une infirmière s'est présentée. C'était Thérèse Poucet. Nous ne savions pas encore que nous allions devenir de vrais et grands amis.

69

Catherine était heureuse. Elle avait retrouvé sa maison, son mari, ses chats, ses affaires et ce splendide environnement qu'elle a su construire avec autant de goût que d'intelligence. Fini l'hôpital, ses bruits de couloir, ses réveils aux aurores pour un thé qu'on ne pourra peut-être pas avaler, ses va-et-vient d'infirmières et de filles de salle, ses odeurs de désinfectant et ses menus rebutants... J'allais pouvoir m'occuper d'elle à plein temps, la sortir même, de temps en temps, dans les moments où on la libérerait de ses tubes et de ses flacons.

Le lendemain de son installation, le Dr Jean-Marie Gomas, médecin de la douleur, vint la voir. Il nous plut d'emblée. Il savait très exactement, par le Dr Colbert, de quoi il retournait, mais il nous décrivit son rôle avec tact et précision. Le spécialiste de la douleur qu'il était s'assignait pour tâche de rendre d'abord à ses malades un peu de joie de vivre et assez de tonus pour mettre de leur côté les chances que la bonne mère nature peut réserver dans les cas difficiles. Pour ce qui concernait Catherine, il s'agissait, à la fois, de compléter le peu qu'elle pouvait ingérer et de supprimer radicalement la souffrance. En foi de quoi le Dr Gomas fit accrocher à la potence trois flacons : du glucose à dix pour cent, de l'Intralipide, des vitamines et des sels minéraux, et, par un *Baxter* implanté dans la peau, du Moscontin en sous-cutané. Le Moscontin, c'était de la morphine, et je la vis arriver avec soulagement.

Catherine s'était installée sur l'un des grands canapés du salon, celui où, certaines nuits, jadis, elle séjournait lorsqu'une insomnie interrompait son sommeil. Enfin elle se sentait bien.

Cinq infirmières, hautement compétentes, souriantes et chaleureuses, se succédaient à la maison pour renouveler le contenu des flacons que j'allais chercher à la pharmacie Fahri, changer périodiquement le *griper*, mettre en route et régler la perfusion : Nadia, Thérèse ou Françoise, dans la journée, Marie-Clothilde ou Odile, la nuit. Dès leur arrivée, nous conférions dans la cuisine. Je leur décrivais ce qu'avait été, pour Catherine, la journée ou la nuit et nous dosions la morphine en fonction de ses réactions. Quand je la voyais grimacer, à la limite des effets d'une injection, je savais qu'il faudrait monter bientôt de quelques milligrammes la dose de Moscontin.

Dans la journée, on la laissait libre de ses mouvements. Elle se levait, faisait sa toilette, endossait généralement une somptueuse robe d'hôtesse rapportée des Comores ou des Antilles, et vaquait dans l'appartement. Elle trouvait toujours quelque chose à faire : la penderie à remettre en ordre, une armoire à ranger, les plaques de cuisson à astiquer, une lessive à mettre en route... Ces activités lui faisaient visiblement du bien.

Vers 19 heures, nous nous mettions à table et elle s'efforçait d'avaler quelques bouchées du dîner que j'avais préparé. Quand je voyais que ça ne passait pas, je lui réchauffais un pack d'Orastel – un potage hyperprotéiné dont j'avais fait une ample provision – ou, pour varier, un bon potage de chez Knorr ou Liebig. Peu après, l'infirmière de nuit se pointait et mettait en place la perfusion pour la nuit.

Après quoi nous regardions ensemble un programme de télévision ou nous bavardions, simplement, les chats rôdant de l'un à l'autre.

Elle s'endormait généralement vers 10 heures. À partir de là, c'était à moi de jouer. Car le problème, avec les perfusions multiples, est que le débit de chaque flacon est solidaire du débit des autres puisque tous les tubes aboutissent au même embout. Il était donc essentiel de les surveiller tous de façon que cela ne coulât ni trop vite ni trop lentement. Avec la précieuse assistance de mon réveil, je me levais à 2 heures du matin, 4 heures et 6 heures et j'allais sur la pointe des pieds, lampe de poche en main, régler l'écoulement des liquides, ralentissant celui-ci, accélérant cet autre. J'étais content lorsque, vers 9 heures, un peu avant l'arrivée de l'infirmière de jour, je pouvais clamper tous les tubes sur des flacons intégralement vides. À la longue, j'étais devenu imbattable, même lorsqu'on ajouta un quatrième flacon avec des éléments de complément.

Mes bulletins de santé, quotidiennement diffusés, n'excluaient nullement ces fêtes de l'amitié qu'étaient, pour Catherine et pour moi, les visites de nos amis. Il s'ensuivait de longues et chaleureuses parlotes autour d'un thé très british et, en ces instants-là, Catherine s'épanouissait.

Moi, de mon côté, je continuais à mentir à tous, tant je redoutais que, sachant la vérité, l'un ou l'autre laissât échapper une émotion, un mot malheureux, un geste de tendresse excessif.

72

Un seul, jusqu'ici, avait été mis dans la confidence : Bob Vaucher. Son sang-froid, sa discrétion, sa force de caractère me garantissaient, de sa part, un silence de nécropole. Il m'avait fallu, au pire moment, un complice de ma détresse : c'est lui que j'avais choisi.

Pourtant, plus le temps passait et plus me devenaient insupportables les exclamations joyeuses et les certitudes euphoriques : « Eh bien, la voilà guérie ! Quand partez-vous pour Gordes ?... » – « Maintenant que le cauchemar est loin derrière vous, quels sont vos projets ?... » – « Tu vois bien qu'on guérit parfois du cancer ! Tu avais bien tort de t'inquiéter !... »

Et puis, pour les plus sensibles, une révélation tardive ne risquait-elle pas d'être trop brutale ? Ce silence, ils pourraient me le reprocher aussi car il les amenait peut-être à être moins présents, moins assidus, moins secourables ?... Le 28 mars, à titre d'essai, je me décidai à révéler la vérité à Nini Moreau. Elle était venue rendre visite à sa grande amie, comme très souvent, et je l'avais raccompagnée jusqu'à sa voiture, tout au bout de la rue. Elle reçut la nouvelle comme un coup de poing dans le plexus solaire. Elle dit seulement : « Mon Dieu !... », puis, très vite, elle s'installa au volant. Lorsqu'elle démarra, je vis que des larmes inondaient son visage...

Thérèse passait à la maison tous les jours. Entre Catherine et elle s'était tissé un lien très fort. Elles se comprenaient, elles partageaient les mêmes convictions et les mêmes goûts, elles riaient des mêmes

73

cocasseries, elles étaient heureuses ensemble, en un mot, elles s'aimaient. Thérèse avait derrière elle vingt-sept ans de carrière dans les antichambres de la mort. Elle savait les mots et les comportements qui soulagent, réconfortent, encouragent. Quand je lui ouvrais la porte palière, j'annonçais :

« Catherine ! C'est Thérèse...

– Ah ma Thérèse !... Le tintouin, va vite lui faire son petit café ! »

C'était rituel. Le petit café d'abord.

Avec le mois d'avril, le printemps déballait ses pinceaux et ses accessoires. Il ripolinait les arbres des avenues, plantait ses jonquilles dans l'herbe des squares et ouvrait dans le ciel de profondes trouées bleues. Dans les bonnes familles, c'est aussi le moment des grands nettoyages. Et Catherine fut saisie soudain d'une fringale de rangements et de récurages. Elle était, par nature, méticuleuse et exigeante ; elle devint une forcenée de la propreté tous azimuts.

« Je veux que tout soit impeccable afin que tu gardes de bonnes habitudes », me disait-elle.

De plus en plus souvent, elle évoquait, à mon propos, une prochaine et, dans les bons jours, éventuelle solitude. Normal. « Une chance sur quatre » avait dit Dazza. Ça pouvait se dire autrement : soixante-quinze pour cent de chances d'y laisser ma peau...

À la mi-avril, elle m'entraîna à Levallois chez un grand dépositaire d'appareils électroménagers qui lui consentait des prix de gros en tant qu'ancienne productrice de télévision. J'admirais qu'elle restât des heures debout, à débattre avec les vendeurs des

mérites comparés des fours à micro-ondes, des téléphones portables et des lave-linge. La semaine
d'après, elle décida qu'il était temps de changer les
rideaux du salon faits d'une belle laine écrue, tissée
au Maroc, mais que le soleil, à la longue, avait brûlée. Elle voulut conduire et elle m'emmena, avenue
Ledru-Rollin, chez un marchand qu'elle connaissait,
et nous avons choisi, sur échantillon, une très belle
étoffe dont je passai aussitôt commande. Puis, de là,
nous nous sommes rendus rue Saint-Nicolas, chez
Houlez, le roi des passementiers, pour choisir le
galon et les rubans d'accrochage. Ici comme ailleurs,
tout le monde la connaissait et l'accueillait avec chaleur. Sa compétence en matière de décoration était
encyclopédique et forçait le respect des spécialistes.

Ces sorties, cependant, la fatiguaient visiblement.
Comme elle avait tendance à rester plus souvent
allongée, je fis venir un lit dit médicalisé, doté d'un
moteur électrique et de fonctions multiples. On
l'accota à deux toiles peintes du XVIIe siècle qui
représentaient, l'une un sous-bois, l'autre un jardin
à la française. Ce lit nous simplifiait à tous la vie,
surtout aux infirmières qui se trouvaient à bonne
hauteur pour leurs interventions de toute nature.

C'est vers la fin avril que l'on dénota chez
Catherine une évolution sensible, psychique et men-
tale. J'en eus la preuve le jour où elle entraîna
Claude Sylvain dans la penderie pour lui faire
essayer des chemisiers en soie naturelle.

« Tu es folle ! protestait Claude. Ils te vont admirablement ! Tu seras bien contente de les retrouver
cet été.

– Mais non, Claude, je ne les mettrai plus... »

Et ainsi, petit à petit, elle commença à distribuer à ses amies les plus chères des vêtements, des bijoux, des chaussures, des foulards...

Elle rencontrait, de leur part, beaucoup de réticences. « Ce n'est pas bon pour son moral, me disait Leïla. Elle s'installe, inconsciemment ou consciemment, dans la peau d'une condamnée... »

J'accompagnais tout doucement cette évolution de façon à rendre moins brutal et dommageable le choc ultime de la vérité. Nous parlions beaucoup ensemble, le soir surtout. Elle me disait :

« Tu crois encore que je vais m'en sortir, le tintouin ?... On m'aurait fait de la chimio ou des rayons, s'il y avait de l'espoir, pas de la morphine...

– On peut se poser la question... De toute façon, avec cette saloperie de maladie, on ne sait jamais où l'on en est ni où l'on va. Tu peux vivre très bien des années et des années, comme tu peux, tout aussi bien, lâcher la rampe dans six mois... Il ne faut écarter aucune hypothèse. »

Dans les premiers jours du mois de mai, elle eut une crise de révolte :

« Pourquoi moi ?... Qu'est-ce que je paie ? Et pourquoi toi, surtout, qui en as déjà tellement bavé ! Qu'est-ce que tu vas devenir, mon oursette ?... »

Elle ne pleurait pas – sauf une fois, dans les bras de Thérèse –, elle s'insurgeait. C'était sa nature.

Parallèlement son agitation croissait... Il lui arrivait de se lever brusquement, dans la journée, et d'entreprendre une tâche manuelle, souvent difficile et parfois dérisoire comme, par exemple, de boucher les trous de la table ancienne du salon avec de la cire qu'elle faisait fondre au fer à repasser. Ça pouvait l'occuper des heures – à gratter, couler la cire, la lisser, la brûler, la teinter, la frotter...

Je devais veiller constamment au grain car, deux fois déjà, elle avait mis le feu à la table.

Vers le 10 mai, Thérèse se fit piéger, mais presque volontairement car elle savait mieux que personne, son expérience aidant, que l'échéance était proche. Catherine lui avait pris les mains et, les yeux dans les yeux :

« Thérèse, es-tu croyante ? (Depuis quelques semaines elles se tutoyaient.)

– Oui. Pourquoi ?

– Alors jure-moi de ne jamais me mentir.

– Je te le jure.

– Bien. Dis-moi, dans ce cas, où j'en suis. »

Thérèse sentit sa gorge se nouer. Et puis elle comprit que le moment était venu de mieux la préparer :

– La vérité, c'est qu'on ne t'a pas opérée. Tu avais dans le foie des métastases en profondeur et y toucher les aurait fait proliférer. On a choisi les traitements. »

La réaction de Catherine fut tout à son image. Au lieu de gémir et de se désespérer, elle explosa :

« Ah le salaud !

– Qui ça, ma Catherine.

– Dazza, parbleu ! Il m'a menti !

– Es-tu sûre que tu pouvais à ce moment-là supporter la vérité ? Et puis il y a toujours une chance, même petite, pour que la rémission soit longue... aujourd'hui encore...

– Tu as raison... Mais je m'en doutais, figure-toi. »

C'est à partir de ce jour que nous avons décidé, elle et moi, de préparer « la suite ». Sérieusement.

La suite, ce serait nos retrouvailles, de part et d'autre du miroir. Nous étions bien résolus à continuer à vivre ensemble sachant, cependant, que ce serait sensiblement différent :

« Je ne te verrai pas...

– Non, mais quand tu feras l'andouille, le tintouin, tu m'entendras ! » (Elle a tenu parole.)

Elle me demandait aussi :

« À ton avis, qu'est-ce que je vais trouver de l'autre côté ?

– Je l'ignore mais j'espère que tu me le diras.

– Je suis certaine, en tout cas, de retrouver maman et Moune. »

Elle parlait aussi avec tendresse de ses autres disparus : son père, son grand-père cévenol qui avait marqué son enfance, Benoît Isorni, Christine Fabréga, Guy Charpentier, son chien Moustache, mon fils Alain qu'elle avait adoré, mais c'est « maman et Moune » qui revenaient le plus souvent. Elle leur vouait un culte.

« On va se faire une de ces fêtes !...

– Tu sais que, par moments, je t'envie !

– Tu as raison, oursette. Tout commençait à m'emmerder ici, à part toi. »

Vers la fin du mois de mai, son état empira. Elle souffrait plus rapidement après la première prise de morphine et, avec l'accord de Gomas et Thérèse, j'avais augmenté sensiblement les doses. Lorsque la douleur lui tordait le ventre, elle appelait : « Maman !... Maman !... Viens me chercher !... »

Et ce cri me torturait.

Et puis, surtout, elle perdait la tête... Elle se levait presque toutes les nuits, avec la perfusion branchée sur le port-à-cath, et, poussant sa potence, pieds nus, elle se mettait à faire le ménage, ou à vider des tiroirs sur le sol « pour les ranger ». J'étais obligé de me lever dix fois par nuit et, bien souvent, il me fallait appeler en urgence une infirmière de l'HAD car, à force de s'agiter, elle provoquait dans les tubes des reflux sanguins qu'il fallait stopper le plus tôt possible. Parfois même le sang avait envahi l'un ou l'autre des flacons lorsque, quinze minutes après mon appel, l'infirmière sonnait à la porte. Ça se passait à 3 heures du matin, à 4 heures, à 5 heures...

Je l'ai trouvée, une nuit, à quatre pattes dans la cuisine, en train de laver le carrelage à grande eau, les tubes qui la reliaient à la potence tendus à craquer... Comme, de surcroît, elle avait laissé les robinets ouverts, l'eau inondait le salon. Une autre nuit, elle a bourré de coussins fragiles le lave-linge. Elle s'apprêtait à le mettre en route quand je suis intervenu, réveillé par le bruit... Je l'ai surprise dans la chambre, assise sur le lit, et s'efforçant de recoller un montant brisé du « serviteur muet » qui reçoit, le soir, mes vêtements – de le recoller... à la colle blanche !... Ce spectacle m'avait bouleversé... Elle savait tout sur les enduits, les vernis, les colles, les cires, les peintures ; elle savait tout et elle réparait tout mieux qu'un professionnel. Dans quel abîme son mental avait-il donc sombré ?... Et que dire de cette nuit mémorable où, toujours reliée à sa potence, elle avait tiré la télé de la cuisine jusqu'à son lit et avait, dans le salon, changé de place tous les meubles, y compris les lourds canapés ! Quelle énergie !... Cette nuit-là, d'ailleurs, elle avait fait carrément chuter la potence avec les quatre flacons de la perfusion...

Et puis, dans la journée, elle connaissait des moments d'intense lucidité, surtout lorsque des amis la visitaient. Elle s'exprimait très normalement, disait, comme à l'accoutumée, des choses intelligentes, riait, racontait, remerciait...

Les Drs Gomas et Skenasi avaient répondu à mon appel. Les métastases dans le cerveau n'étaient pas une hypothèse à écarter mais ils penchaient plutôt pour une encéphalopathie hépatique.

« D'ailleurs nous allons la prendre dans notre service parce que c'est vous, maintenant, qui allez vous effondrer. On peut se passer de tout, sauf de sommeil, et voilà huit jours que vous ne dormez pas.

— C'est hors de question. Elle reste avec moi, avec ses chats, et dans ses meubles. C'est ici qu'elle est bien et c'est ici que nous nous quitterons.

— Comme vous voulez. Mais prenez au moins une garde de nuit.

— Ça c'est une bonne idée. Je vais demander à Thérèse de m'en trouver une. »

La dame qu'elle m'envoya était parfaite : compétente, discrète, dévouée. Elle arrivait vers 9 heures et s'installait dans un fauteuil, avec un livre, ou rien du tout. Dès que Catherine s'assoupissait, elle approchait d'elle son fauteuil pour mieux la surveiller. Pas une fois elle n'accepta de s'allonger un moment sur le canapé cependant tout proche.

La première nuit qui suivit son arrivée, je dormis douze heures d'affilée. Mais, à mon réveil, tout était en ordre : l'infirmière était venue, la perfusion passait bien et Catherine reposait, détendue. Au reste, elle était à présent trop lasse et trop meurtrie pour se lever la nuit et s'agiter. Elle ferait encore deux ou trois tentatives, mais la garde de nuit la recoucherait doucement, la borderait et l'aiderait à se rendormir.

Le 29 mai ma fille Dominique vint déjeuner avec nous. Pour l'accueillir et bavarder avec elle, Catherine se leva et partagea (très modestement) notre repas.

« Tu es très bien habillée, Dominique. Voilà exactement la tenue qui te va. Parle-nous un peu de ton travail, à Fontainebleau... »

Je laissai les deux filles bavarder pour vaquer à des occupations domestiques.

Les rapports entre Catherine et Dominique avaient été parfois un peu rugueux car elles avaient, l'une et l'autre, un caractère très entier. Mais l'estime mutuelle était totale.

« C'est une fille très bien, disait Catherine. Elle est droite, franche, intelligente... Si seulement elle voulait bien accepter les conseils que je lui donne sans regimber, on s'entendrait très bien. »

Avec ma fille Sylvie, aucun problème épidermique. Catherine la considérait comme sa fille et adorait sa présence et sa conversation :

« C'est fou ce qu'on apprend de choses avec elle !... »

Ce même soir, le Dr Gomas passa la voir. Il l'examina, bavarda avec elle et me prit à part :

« Je suis d'avis de stopper la perfusion de nuit. Êtes-vous d'accord ? »

Je savais ce que cela signifiait... C'est par la perfusion, et la perfusion seulement, qu'elle s'alimentait. Mais je savais aussi que le cancer s'était généralisé, et qu'elle n'était plus que métastases et souffrances...

Je répondis au Dr Gomas :

« D'accord. Nous sommes, elle et moi, contre l'acharnement thérapeutique. »

Le surlendemain 31 mai, au matin, Catherine nous dit, à Thérèse et à moi :

« Je vais très mal depuis quelques jours... Même la morphine me soulage moins longtemps. Mais je m'accroche parce que je veux mourir en juin.

— Pourquoi en juin ? s'étonnait Thérèse.

— Parce que mon père est mort en juin, mon grand-père que j'aimais tant est mort en juin, maman est morte en juin... Juin, c'est le mois des Anglade. »

Toute la journée on la vit décliner.

Nous avions porté la morphine à son maximum. Thérèse, en me quittant, me dit :

« Je repasserai cette nuit. »

Elle revint à 1 heure du matin.

J'étais près de Catherine. Elle ne semblait plus souffrir mais son souffle était court. Thérèse s'agenouilla près de moi et nous lui prîmes chacun une main. Alors je dis :

« Il est 1 heure du matin, ma chérie. Nous sommes le 1er juin. Tu t'es bien battue comme un brave petit soldat que tu as été toute ta vie. Tu as gagné. Mais maintenant tu peux lâcher la rampe... Ne lutte plus... Laisse-toi aller... Nous nous rejoindrons tout à l'heure, de l'autre côté du miroir. »

Elle tourna la tête vers moi, je sentis la pression de ses doigts sur ma main, et elle me sourit, d'un sourire apaisé, heureux, un sourire qui nous venait déjà de l'Au-delà...

Et son âme la quitta.

Nous sommes restés ainsi longtemps, Thérèse et moi agenouillés près d'elle et lui tenant les mains.

Nous la savions partie mais son corps palpitait encore. Faiblement. Très faiblement...

« Il est dans un coma profond, murmura Thérèse. Mais elle, ma Catherine, elle est déjà très loin, très haut... En vingt-sept ans, je n'ai pas vu un départ aussi beau que celui-là. »

J'avais tenu bon, jusqu'à présent. Depuis le 14 janvier 1994, j'avais tenu bon. Mais là, je n'en pouvais plus de tenir bon. J'ai craqué. C'est Thérèse qui m'a pris dans ses bras.

Le 2 juin, Sylvie vint s'installer à la maison. Nous l'avions vue souvent ces dernières semaines, mais elle avait senti que sa présence m'aiderait. Elle arrivait trop tard, malheureusement, pour qu'elle eût, avec Catherine, l'un de ces échanges de vues qu'elles aimaient l'une et l'autre. Catherine n'ouvrirait plus les yeux.

Dans la nuit du 3 au 4 juin, vers 6 heures du matin, Sylvie s'approcha de mon lit et me toucha l'épaule :

« C'est fini, Papa. »

Je me levai.

La garde de nuit était près d'elle :

« Le cœur s'est arrêté de battre vers 4 heures. Votre fille m'a dit : "Laissons-le dormir encore un peu."

– Comment vous en êtes-vous aperçu, toutes les deux ?

– C'est Lulu qui nous a réveillés. Il a vomi à 4 heures du matin... »

(Thérèse me dirait plus tard : « À 4 heures du matin, cette nuit-là, mon chat noir a vomi. Et j'ai compris... »)

« Regarde-le... », me dit Sylvie.

Petit-Lulu, le chat qu'elle aimait, « son » chat avait sauté près d'elle et s'allongeait contre ses jambes. En silence.

JE T'ATTENDRAI CE SOIR

La mort n'est rien, je suis simplement passé dans la pièce à côté.

Je suis moi, vous êtes vous,
Ce que nous étions les uns pour les autres, nous le sommes toujours.
Donnez-moi le nom que vous m'avez toujours donné,
Parlez-moi comme vous l'avez toujours fait,
N'employez pas un ton solennel ou triste,
Continuez à rire de ce qui nous faisait rire ensemble,
Priez, souriez, pensez à moi,
Que mon nom soit prononcé comme il l'a toujours été,
Sans emphase d'aucune sorte, sans trace d'ombre,
La vie signifie tout ce qu'elle a toujours signifié,
Elle est ce qu'elle a toujours été. Le fil n'est pas coupé, simplement parce que je suis hors de votre vue.
Je vous attends. Je ne suis pas loin,
Juste de l'autre côté du chemin.
Vous voyez – tout est bien.

Charles PÉGUY

I

Elle reposait sur le lit d'hôpital que j'avais fait installer dans le salon, un mois plus tôt ; elle reposait les deux mains jointes sur le chapelet qu'Évelyne lui avait offert, et son visage s'irradiait d'une telle sérénité qu'elle semblait dormir, un sourire léger aux lèvres.

Le jour s'était levé, mais les chats n'avaient pas bougé, Lulu allongé sur ses jambes, Mimi à ses pieds. Cette nuit, peu après 4 heures, les deux chats s'étaient rejoints pour se lover contre elle, tout contre elle. Sans un bruit. Depuis ils n'avaient pas bougé.

Thérèse, l'infirmière qu'elle aimait entre toutes, m'avait rejoint à l'aube et s'en émerveillait :

« Philippe, vous devriez fixer cette image bouleversante.

— Une photo, vous voulez dire ?

— Oui. Seuls les imbéciles peuvent trouver cela inconvenant ou déplacé. Mais je sais, moi, que Catherine le souhaite. Elle les aime tellement, ses chats ! »

Thérèse avait raison. J'allai chercher mon appareil et, comme la pièce était encore sombre, j'armai le flash. Thérèse objecta :

« Non. Gardez cette pénombre qui est de circonstance. Catherine a, sur le visage, juste ce qu'il faut de cette douce lumière du petit matin. »

La photo faite, je vis que la garde de nuit me regardait avec étonnement et, me semblait-il, un peu de réprobation. Et je réalisai tout à coup à quel point cette scène était insensée, surréaliste : moi et mon Leica, opérant tranquillement comme si nous nous prélassions, elle et moi, sur une plage des Caraïbes, l'un photographiant à la dérobée la sieste de l'autre ; Thérèse me prodiguant des conseils techniques ; la garde de nuit observant les opérations ; et les deux chats paisiblement assoupis contre leur maman...

D'habitude, les choses ne se passent pas ainsi. Le désespoir a emporté dans sa houle ceux-là qui restaient au bord du rivage, témoins impuissants ; on pleure, on gémit, on s'embrasse...

Brusquement je me sentais ridicule et hors du sujet, avec mon appareil qui pendait au bout de mon bras, et le regard interrogateur de la garde de nuit, et nos yeux secs, et tout ce silence autour de nous...

Dans le service des Soins palliatifs, et en trente ans de carrière, Thérèse a vu beaucoup mourir. Elle savait, comprenait, et me prit par le bras :

« Venez vous asseoir, Philippe. Vous vous détestez, en ce moment, et vous avez bien tort. Il nous est réservé, à nous les vivants, une sorte d'état de grâce, tout de suite "après". On est assommé, anesthésié. Le coup est trop rude, il nous a mis KO. C'est une bénédiction. Alors on fait les gestes de tous les jours, on dit les mots de tous les jours, comme si ce qui venait de se passer nous était étranger. Le chagrin, ça vient après. Bien plus tard. »

Je le savais, pourtant. J'étais déjà passé par là. Avec la mort de mes parents, puis de ma sœur. Et le 4 février 1958 aussi lorsqu'Éliane ma première épouse – agent de liaison des maquis, chevalier de la Légion d'honneur et Croix de guerre – avait succombé d'un cancer. Un cancer, elle déjà, elle aussi... Et le 17 septembre 1981 quand mon fils Alain, paraplégique à vie depuis qu'une voiture les avait fauchés, lui et sa mobylette, s'était suicidé dans sa chambre d'hôpital pour que sa fiancée n'ait pas à pousser un infirme, dans un fauteuil roulant, toute sa vie durant. Oui, le coup de marteau sur le crâne, je connaissais, et aussi, dans les heures qui suivent, cette étrange paralysie des sentiments et des émotions, ce détachement de tranquille automate qui nous ancre dans la vie d'hier et nous conduit à assumer, sans effort, les gestes du quotidien : préparer le déjeuner, téléphoner aux amis les plus chers, se raser et s'habiller, régler des formalités, descendre la poubelle...

« Le chagrin, ça vient après », avait dit Thérèse. Ça aussi je le savais, mais avant qu'il ne me submerge comme la vague roule les galets, la vie me réclamait, justement, avec ses exigences et ses obligations. Et la première des choses à faire consistait à déclarer le décès à la mairie du IIIᵉ arrondissement. « Je m'en occupe », me proposait mon frère Roger, accouru à mon aide après mon coup de fil. – « Non, j'y vais, ce ne sera pas long. La mairie n'est pas loin. »

Ce matin-là, je devais être le premier client du service de l'État civil. Je déclarai, à la fille du guichet, l'identité de Catherine, la mienne et les circonstances de sa mort, comme s'il se fût agi d'une voisine. Mais cette distance par rapport au drame, dont on eût pu penser qu'elle frisait l'indifférence, ne parut pas la surprendre. L'acte de décès rédigé, elle se leva :

« Je vais vous en faire dix copies. On va beaucoup vous le demander. »

Je la remerciai et regagnai la maison. En chemin, j'achetai du pain, des croissants et des boîtes de Whiskas pour les chats. La vie continuait et je n'avais encore conscience de rien d'autre.

Thérèse était partie car ses malades la réclamaient. Roger, lui, était resté. La sonnerie de l'entrée m'appelait à l'interphone. C'était Guy Béart. La radio l'avait informé au petit matin, et il accourait, de son Garches lointain, ce fidèle ami. En route, il avait pris le temps d'acheter une merveilleuse orchidée. Il la posa sur les mains de Catherine, puis, debout au pied du lit, il demeura immobile et silencieux un long moment, son regard attaché sur les traits à jamais figés de sa vieille amie.

Je vécus toute cette journée dans un état second, un brouillard cotonneux d'où me parvenaient, plus ou moins distinctement, des bruits, des voix, des rumeurs. Je m'étais depuis longtemps préparé à cette échéance – depuis le 4 janvier, en réalité –, et je savais qui appeler et qui mobiliser, quoi faire et quand le faire. Dès 7 heures, j'avais téléphoné à l'AFP et aux rédactions des sociétés de télévision.

De chez elle, Jacqueline Barsac se chargeait d'alerter Yvan Levaï et les radios périphériques. Vers 10 heures, le représentant de la maison Roblot, que Roger m'avait recommandée, venait faire ses offres et prendre mes instructions. Nous nous mettions d'accord sur le détail des obsèques et de la crémation, car Catherine voulait être incinérée, comme son père et comme le mien. Quelqu'un, qui devait être moi, discutait posément les conditions, rédigeait les avis à communiquer au *Figaro* et au *Monde,* établissait la liste des amis à prévenir en priorité. Ma fille Sylvie prenait en charge la cérémonie religieuse. Elle se célébrerait à l'église de la Trinité, dont le bon curé comptait au nombre de mes amis. Le quelqu'un, qui devait être moi, lui faisait toute confiance mais souhaitait cependant choisir avec elle les textes qui seraient lus ou chantés. Des amis passaient, graves ou bouleversés. Ils disaient les mots qu'il fallait, car ils nous aimaient, bien qu'en de telles circonstances les mots fussent dérisoires ; ou parfois ils ne disaient rien du tout – juste un regard chaviré et une étreinte qui expriment l'essentiel.

Nous avions déjeuné dans la cuisine, Roger, Sylvie et moi, mais je n'en gardais pas le souvenir. Le téléphone sonnait sans interruption. Le plus souvent, ma fille ou mon frère répondaient. S'il m'arrivait de le faire, ma voix lisse et paisible dédramatisait l'événement. Dès lors il entrait, comme la naissance ou la maladie, dans l'ordre normal des choses en ce bas monde : elle, aujourd'hui, et nous demain, ainsi va la vie.

De temps à autre, entre deux démarches, deux corvées, je m'approchais du lit où reposait Catherine. Je regardais ce beau visage apaisé, libéré de la souffrance et de l'angoisse. En réalité, ce n'était plus Catherine que je contemplais, mais simplement une enveloppe charnelle qui avait été, sur terre, son apparence et que j'avais aimée aussi pendant trente-trois ans. J'ai toujours considéré que la dépouille qu'on laisse derrière soi, dès l'instant que l'on passe de l'autre côté du miroir, n'est rien d'autre qu'un peu de poussière. Je sais bien que les êtres que j'ai aimés vivent ailleurs et au-delà de nous une autre vie que l'on dit plus pleine et plus heureuse, et rien de leur identité profonde ne subsiste dans cette décrépitude corporelle vouée à l'anéantissement.

Pourtant je comprends très bien la démarche de ceux qui viennent fleurir, une tombe, visiter à la Toussaint un cimetière, se recueillir devant une pierre gravée. Ils témoignent d'une estimable volonté de perpétuer le souvenir au-delà du chagrin d'un moment. Mais peut-être aussi ne sont-ils pas convaincus, ou pas assez convaincus, que la mort n'est qu'un changement d'état, et rien d'autre qu'un changement d'état. Je respecte profondément les sentiments qui les animent, mais je n'éprouve aucunement le besoin d'y adhérer. Selon moi – et sans doute suis-je particulier –, il n'y a rien dans les cimetières, en tout cas rien d'autre que ce que l'amour rémanent des survivants vient y déposer. (Et c'est déjà très beau.) Moi, je suis trop lucide pour ignorer que les cimetières sont vides de toute présence, hormis celle des chats. Je ne vais jamais sur la tombe de mes parents et de ma sœur. Ni même sur celle d'Éliane, à Saint-Jean-de-la-Ruelle, près d'Orléans. Alain a été mis en terre dans un petit cimetière de village, non loin de Valence. L'hôpital où il s'est suicidé se trouvait à deux pas de là. Il avait dit, voilà bien longtemps déjà, ne rien vouloir sur sa tombe, le jour venu, ni monument ni inscription : « Juste de la terre et de l'herbe, du soleil et des oiseaux. » Il a été fait selon sa volonté. Je ne suis jamais retourné dans ce cimetière. Je serais d'ailleurs incapable de retrouver le coin de « terre et d'herbes » où se délite lentement sa trace physique. Mais, depuis le 17 septembre 1981, Alain est resté près de moi. Je n'ai jamais eu avec lui de véritable communication, sans doute parce que nous ne nous y étions, ni lui ni moi, préparés. Mais il s'est fait une spécialité qui est tout à fait lui, obligeant et malicieux : il m'aide à retrouver les objets que j'ai perdus. Cela dure depuis des années et Catherine s'en amusait beaucoup. « Où diable ai-je pu fourrer ce dossier ? – Au lieu de tout fouiller comme un forcené, tu ferais mieux de demander à Alain. – Tu as raison. Alain, sois gentil : retrouve-moi ce dossier, s'il te plaît. » Et, la minute d'après, le dossier se trouvait tout soudain sous mon nez – ou ma pipe, ou mes clés.... Sous mon nez ou a l'endroit exact où l'objet en question devait logiquement se trouver et où, la minute d'avant, il ne se trouvait pas, justement.

Cela n'est pas arrivé une fois, mais dix fois, vingt fois, trente fois. À la longue, c'était presque devenu un jeu, mais un jeu où il ne fallait pas tricher. Je ne

94

pouvais appeler le fiston à la rescousse qu'après avoir moi-même beaucoup cherché. Catherine, au début, avait manifesté quelque scepticisme. Et puis, devant l'évidence, elle avait fini elle aussi par user et abuser de l'obligeance de son beau-fils. Nombreux sont ceux qui peuvent en témoigner : Hélène, notre soubrette pendant dix ans, Christine Fabréga lors d'un séjour dans notre maison de Gordes, Benoît Isorni qui avait oublié chez nous son agenda, et combien d'autres !

« Je ferai encore mieux que ça », m'avait promis Catherine.

Ce que serait « la suite », après son départ, nous l'avions souvent évoqué. Vers la mi-mai, elle avait compris que les jeux étaient faits. À une révolte de courte durée, succéderaient un soulagement et une angoisse : soulagement à l'idée d'en finir enfin avec la souffrance, son intraitable compagne, et même si la morphine à haute dose l'atténuait sensiblement ; angoisse à l'idée de me laisser seul aux prises avec un quotidien semé d'embûches. « Tu ne sauras jamais te débrouiller. » Il est vrai qu'à la maison, elle faisait son affaire de toutes les tâches matérielles. Je les lui avais abandonnées pour deux raisons : la première est qu'à soixante-seize ans j'assumais encore des responsabilités professionnelles importantes à Sécodip et dans d'autres sociétés, en dehors de mes travaux d'écriture ; la seconde est qu'elle était infiniment plus compétente que moi dans tous les domaines de la vie quotidienne.

Elle savait à qui s'adresser pour obtenir le meilleur service, elle savait tout ce que l'on peut savoir sur les tissus, le bois, les métaux, la restauration, le cuir, la décoration, les agencements d'intérieur ; elle était capable d'installer un réseau électrique, de réparer une plomberie défectueuse, de monter un mur, de peindre des chevrons. Manuelle et bricoleuse dans l'âme, ses connaissances étaient illimitées. Les miennes, comparées aux siennes, étaient nulles. Aussi m'avait-elle fait acheter un gros agenda dans lequel je devais consigner des adresses et des modes d'emploi. Par exemple, à la lettre L, « Lave-linge », j'avais noté sous sa dictée : « 1. Remplir le godet, soit de "Super Croix" (pour le blanc) soit d'"Ariel Color" (pour la couleur). 2. Mettre le godet au cœur du linge à laver. 3. Pour la mise en route, appuyer sur le troisième bouton à partir de la gauche et laisser le doigt sur la touche jusqu'à ce que l'aiguille soit sur "lavage". Ceci, si ton linge n'est pas très sale et que tu as programmé la machine sur 4. (Dans le cas contraire, tu programmes 1 et tu fais un prélavage.) 4. Quand la lessive est finie, appuyer sur la touche 1 pour ouvrir le bac. (Dans le tiroir de gauche, et si tu as de la laine dans la machine, ajoute une dose de "Lénor", la touche 2 indique un lavage léger.) »

À la lettre E, "Évier de la cuisine", on pouvait lire : "Si le conduit d'évacuation est bouché, il faut démonter le cadre en bois extérieur pour avoir accès à la tuyauterie. Faire appel au menuisier indiqué par Claude Malet : Marsac - 45.97.04.07 (c'est lui qui a réparé la bibliothèque tournante.) »

Et tout à l'avenant. « Si tu as des problèmes ou si tu es paumé, tu me demandes – Comment feras-tu pour m'aider ? Tu ne seras plus là !... – Si, je serai là. Je ne te quitterai jamais. Je ne te laisserai pas tomber, le tintouin. »

Mais de quelle manière viendrait-elle à mon secours ? Nous ne le savions pas exactement, ni elle ni moi. Pourtant, nous en parlions souvent, le soir, sitôt l'infirmière partie et avant que ne se pointe la garde de nuit. « L'important, me disait-elle, est de le vouloir et d'y croire, toi comme moi. »

Assis dans le salon, Mimi sur mes genoux, je repassais mentalement, comme un film au ralenti, ces entretiens à l'orée de la nuit. Suffirait-il de le vouloir et d'y croire ? Tout entière encombrée de tâches matérielles, cette journée du 4 juin 1994 m'avait vidé de toute espérance... Un dernier visiteur, le Dr Gomas, était passé. Catherine l'aimait beaucoup, et moi aussi. Nous avions devisé un bon moment. Et puis, tout soudain : « Relevez votre manche. Je vais prendre votre tension », j'ironisais : "Je peux vous la dire ! 14-8, comme d'habitude." Il délaçait la sangle et hochait la tête : "Non, mon vieux. 22-18. Ça n'est pas pareil." Il rédigeait une ordonnance : "Hyperium 20 mg. Un cachet dès que possible, et un autre tous les matins. Et voyez votre cardiologue sans tarder. Catherine a encore besoin de vous. »

Le vouloir et y croire... Je méditais encore cette certitude qui l'habitait alors qu'éclataient les chants de la chorale sous les voûtes de la Trinité. L'église était noire de monde. Comme on l'aimait !... Ils étaient tous venus, les amis des bons et des mauvais jours. Un peu avant que ne débutât l'office, j'étais passé parmi eux, serrant des mains qui se tendaient, caressant des visages que mouillaient des larmes. Avant l'absoute, je leur avais adressé un message de gratitude :

« Elle était la volonté, elle était le courage, elle était la beauté et, surtout, elle était la vie. Mais ne soyez pas tristes, mes amis, car elle est plus vivante que jamais. En ce moment même elle est à mes côtés et elle vous remercie d'être venus l'accompagner pour son dernier voyage. Nous vous embrassons, elle et moi. »

Deux heures plus tard, mes deux frères et moi avions retrouvé, au crématorium du Père-Lachaise, Thérèse et Anne-Marie, les infirmières préférées de Catherine. Il n'était pas triste ce cimetière, sous le grand soleil de juin. En attendant que ce fût notre tour, nous avions déambulé ensemble entre les tombes, extravagantes, superbes ou hideuses, témoignages attendrissants d'une détresse sans espérance...

« Elle a promis de ne pas me quitter. Vous y croyez, Thérèse ? Le vouloir et y croire, m'a-t-elle dit...

– Bien sûr ! Mais le vouloir et y croire, c'est vrai aussi pour vous, Philippe. Chacun doit faire la moitié de la route. J'ai connu cela avec mon père que j'adorais. »

Cependant, cette nuit-là, dans ce grand appartement désespérément vide, mon seul compagnon fut le silence, un silence assourdissant.

Non, décidément, nous avions trop espéré et trop rêvé. Cette solitude tant redoutée, je compris alors que j'en commençais l'apprentissage.

II

Les coups durs constituent un bon test pour recenser les vrais amis. Dieu merci, les miens ne me faisaient pas défaut, et leur affection s'ingéniait à combler, autant que faire se pouvait, ce vide vertigineux qui m'habitait et m'environnait. Ne manquèrent à l'appel que trois personnages qui, des années durant et à l'occasion d'épisodiques rencontres, nous avaient prodigué les marques de la plus pure amitié et qui, en la circonstance, ne jugèrent pas utile de se manifester soit par un coup de fil, soit par une lettre de condoléances, soit par leur présence aux obsèques. Je rayai aussitôt leurs noms de mon carnet d'adresses.

Restaient les autres, les bons, les vrais, merveilleusement présents – ceux de Paris, ceux du Luberon ou de plus loin. Déjà, tout au long de cette année maudite, ils avaient entouré Catherine à chaque étape de son long calvaire : à l'hôpital d'Apt, à l'hôpital Saint-Joseph, à la clinique de l'Alma, chez nous lorsque j'avais décidé de la rapatrier dans son cadre de vie, auprès de son mari et de ses chats. Savent-ils à quel point leurs visites et leurs messages nous ont aidés à tenir bon la rampe, à faire face au malheur, à nous battre contre vents et marée ? Savent-ils combien nous réchauffaient le cœur et l'âme les mots qu'ils savaient trouver pour nous retenir au bord du désespoir ?... Si on mesure la qualité d'un être à celle des amis qui l'entourent, Catherine, assurément, se trouvait au sommet de l'échelle humaine.

C'est à moi, aujourd'hui, qu'ils tendaient la main. « Quand viens-tu déjeuner ?... Demain, ça te conviendrait ? » Et je me retrouvais, jour après jour, en chaleureuse compagnie, chez Hélène et Olivier de la Baume ; à la « Taverne Alsacienne » aux côtés d'Yveline et Bob Vaucher ; chez Jean Michalon, à l'autre bout de Paris, avec Marie-France et Olivier ; à l'« Émile », le plaisant restaurant de Nini Moreau et Roger Coral ; à Passy, chez Claude Sylvain entourée de ses chiens et chats ; boulevard du Montparnasse chez Stella Barral ; près de la Maison de la Radio chez Jacqueline Barsac ; rue de Bellechasse chez Sybille et Marcel Billot ou rue de Bourgogne chez Philippe et Carole Galardi ; au fin fond du XVIIe chez Marianne et Bernard Chesnais ; à Neuilly chez Nicole Willk ; dans l'exquis jardin parisien de Denise et Henri Rosencher ; à deux pas de l'avenue Montaigne chez Odile et Francis Rey ; près de l'avenue Foch chez Robert et Marie-Hélène Parturier ; dans le nouveau logis de Dominique Rouchaud ; chez André et Karin Brincourt avec Henry et Régine Bonnier ; face au mont Valérien chez Augustin et Renée Michel ; chez Anne Deleuze avec Jean Amadou et Jacques Mailhot ; avec tous mes amis du CIC chez Christian Barbé ;

chez le talentueux Guy Breton, ou bien dans les meilleures tavernes de Paris où me traitaient fastueusement Pierre Clostermann, Jacques Faizant, Pierre Picard et Yvonne Puaux, Raphaël Nahoum ou Charles Libman.

« Le chagrin, ça vient après », disait Thérèse.

Il était venu, en effet, il était bien là – tenace et taraudant, inconsolable et incrédule. Et Catherine ne m'adressait aucun signe...

Mes amis, par bonheur, m'offraient de bienheureuses rémissions, le temps d'un dîner, d'une soirée, d'une rencontre. J'imagine qu'ils se concertaient pour savoir qui le jour suivant, prendrait le relais car, au cours des trois semaines qui suivirent, je ne pris guère que deux repas à la maison.

M'absorbait aussi la multitude des petites tâches qui suivent les grandes séparations : règlement des dépenses de tous ordres, pointage des comptes en banque, rangements dans les armoires et la penderie, réapprovisionnements, et courrier, surtout. Aux plus attentifs de mes amis, j'adressais une lettre qui leur disait ma gratitude, le message de foi et d'espoir de monseigneur Bougeaud, évêque d'Angers, et deux très belles photos de Catherine dont Jean Michalon, qui en était l'auteur, m'avait tiré deux cents exemplaires dans son « Studio Arphot ».

Il fallait aussi préparer mon départ pour Gordes car je ne voulais pas priver mes chats du bonheur d'être libres, de courser les mulots et de s'emplir les narines des parfums grisants de la garrigue. Mais la perspective de ce séjour me paniquait. Rue Villehardouin, je m'étais souvent trouvé seul ; chaque été, par exemple, lorsque, périodiquement, mes obligations professionnelles à Sécodip me rappelaient à Paris, pour quatre jours ou une semaine ; et aussi lors des longs séjours de Catherine en milieu hospitalier. Mais, à Gordes, elle ne me quittait pas, et tout était marqué du sceau de notre bonne entente et de goûts partagés. À Gordes, nous avions tout fait ensemble : le choix du terrain, les plans de la maison, l'achat des meubles et des équipements ménagers, les aménagements intérieurs, les kilomètres de murets en pierres sèches qui délimitaient les plates-bandes en restanques, les plantations, la piscine, l'élagage des arbres, les promenades dans la forêt toute proche... À Gordes, Catherine était omniprésente. Elle était dans chaque recoin de la maison, dans chaque détail de sa décoration, au détour de chaque sentier, dans chaque pierre des murs que nous avions montés – « Pas celle-là, le tintouin, la grosse à côté », dans la moindre des plantes que nous avions choisie chez l'horticulteur, soignée et vue croître. Hormis le temps de son bref séjour au Centre hospitalier d'Apt – la porte à côté –, nous ne nous étions jamais éloignés l'un de l'autre, dans ce coin du Lubéron, adopté d'un commun accord et que, l'un et l'autre, nous aimions passionnément.

Aimer, pour moi, c'est partager. Pendant trente-trois ans, nous avions tout partagé, les bons et les mauvais moments, les succès et les échecs, les admirations et les répulsions, les voyages et les spectacles, les collines mauves d'Irlande et les lacs en cascade de Plitvice, les luxuriances de la Martinique et le désert de Djibouti, les nuits étoilées des

Comores et les vertiges de New York, l'automne au Québec et les printemps de Paris... Mais à qui dire, désormais : « Viens vite voir ce coucher de soleil !... As-tu remarqué que le fuschia avait fleuri ?... Que dirais-tu d'aller faire un tour en Camargue ?... »

Plus rien, jamais, n'aurait d'intérêt. Plus rien n'aurait de saveur. Décidément, me retrouver sans elle dans notre Luberon dépassait mes forces.

Et pourtant il le fallait. Pour Mimi et Lulu, d'abord ; pour les chaleureux amis que nous nous étions faits là-bas et dont les messages m'appelaient avec insistance ; enfin, pour ne pas laisser la maison de Catherine abandonnée aux orties et aux mites... Mais ajoutait à ma répugnance la perspective de ce voyage, ce long voyage de huit cents kilomètres, avec les chats dans leurs paniers, sur la banquette arrière, le coffre bourré de valises. Qu'arriverait-il en cas de panne, en cas d'accident ?...

« Ne pars pas seul, mon Philippe. »

Ma main qui, à cet instant, inscrivait la liste des choses à emporter, demeura en suspens... La supplique m'était arrivée très distinctement mais tout aussi silencieusement, comme une phrase oubliée dans un coin du cerveau...

J'attendais une suite, qui ne vint pas.

Puissance incontrôlée de l'imagination ! C'était moi, évidemment, qui avais formulé inconsciemment les mots qu'elle m'aurait dits en la circonstance. Pourtant j'étais certain qu'à un moment ou à un autre la communication entre elle et moi s'établirait, ainsi que, l'un et l'autre, nous nous l'étions promis. En dépit de cela, mon côté cartésien fissurait périodiquement cette certitude. Je ne suis ni un mystique ni un rêveur, tous mes amis en conviennent. Je suis croyant, certes, à ma manière un peu primaire, mais fort éloigné de la pratique religieuse. Il est pour moi évident que Dieu existe et je ne considère pas pour autant que j'ai la foi car, avoir la foi, c'est croire de confiance et sans l'ombre d'une preuve. Or, les preuves de son existence, je les vois partout, dans la parfaite beauté de mes chats, dans le veiné d'un marbre, dans la grâce d'un palmier, dans un regard de chien, dans les millions de soleils qui peuplent l'espace. Tout, autour de nous, témoigne d'une inimaginable intelligence créatrice, et ne peut évidemment pas résulter de l'assemblage hasardeux de quelques molécules qui, d'ailleurs, seraient nées d'où ?... Du néant ?... Absurde ! Or, si Dieu existe et s'il est bien l'incontestable auteur de l'univers éléments, matériaux et créatures – rien ne lui est impossible, après ce tour de force, même pas de venir faire un tour sur « sa » terre, en pleine conquête romaine, ou de remonter chez lui en renversant d'une pichenette la pierre de son tombeau. De même est-il, selon moi, plus difficile de fabriquer un papillon ou une rose que de multiplier les pains ou de faire pleuvoir des sauterelles.

Je suis tout aussi convaincu qu'il y a une vie au-delà de la mort. Dieu n'aime certainement pas le gâchis, comme tout bon artisan qui se respecte. Contre celui que multiplient les hommes, il ne peut rien car, très judicieusement, il leur a laissé le choix entre bien se comporter ou faire l'andouille : on fera les comptes de l'autre côté. Mais lui considère certainement que ce serait, de sa part, un vrai gâchis de réduire en poussière des intelligences, des sensibilités et des forces vives qui n'ont eu, pour s'exprimer, que le temps d'un tout petit séjour sur une toute petite planète. En conséquence de quoi rien n'empêche non plus certains défunts de garder un contact avec les vivants soit pour conduire à bonne fin, par le truchement d'un autre, une tâche inachevée, soit pour réparer une injustice trop tard regrettée, soit pour glisser un peu d'espérance dans une âme en perdition.

Tout cela, je me l'étais dit cent fois. Mais lorsqu'on est sceptique par nature, on attend comme saint Thomas, en dépit de toutes les intimes convictions, une preuve par neuf. Je ne crois ni à l'astrologie, ni aux tarots, ni aux lignes de la main, et moins encore au langage des cartes, des fleurs ou du marc de café. Les prédictions des voyants extra-lucides me font ricaner et, d'une façon générale, je ne crois qu'en ce que je vois. Ce ne sont certes pas de bonnes dispositions pour établir une communication avec le monde de l'Au-delà...

Ce soir-là, Sancho Pança l'emporta sur don Quichotte. Je décidai que la petite phrase : « Ne pars pas seul, mon Philippe », résultait du simple fait que je venais, mentalement, d'évoquer les affres et périls d'un long voyage solitaire, de Paris à Gordes.

En tout cas, que le conseil fût venu de Catherine, ce dont je doutais fort, ou qu'il fût un réflexe personnel de pur bon sens, ce dont je demeurais persuadé, il était bon et valait d'être suivi.

Je me mis donc en quête d'un accompagnateur, et la solution s'imposa très vite. Sylvie avait programmé un voyage en Chine – un vieux rêve d'enfance associé à la possibilité d'appliquer ses diplômes et son expérience d'urbaniste à un monde en complète mutation. Il lui était possible de différer son départ de quelques jours, m'accompagner jusqu'à Gordes et y séjourner quarante-huit heures. Pouvais-je souhaiter meilleure compagnie ?

Le 8 juillet au matin, nous chargions les bagages dans la Golf. Les chats, très excités, car ils savaient déjà où nous allions, passaient d'une valise à l'autre tant grande était leur crainte d'être oubliés à Paris. Dans une chemise à sangle, je plaçai les documents financiers dont j'aurais besoin : relevés bancaires, carnet de position, factures acquittées ou à payer, etc. Une autre chemise abritait tous les papiers relatifs à la propriété ; dans une troisième, la correspondance à laquelle je n'avais pas eu le temps de répondre. Je mis le tout dans une boîte à archives, que je refermai. J'avais pris dix mille francs en liquide pour faire face aux dépenses immédiates sans être contraint de courir à la banque, à Cavaillon.

Le voyage fut sans histoire. Un écran providentiel de nuages mettait mes bêtes à l'abri d'un coup de chaleur et, passé Lyon, le mistral nous dispensait par les vitres à demi baissées une fraîcheur rare en cette saison. Nous ne fîmes qu'un seul arrêt, à hauteur d'Orange, pour refaire le plein. (Par distraction, le préposé, dans sa cabine de verre, me rendit cinquante francs sur mon billet de deux cents francs alors que l'addition s'élevait à cent soixante-dix francs. Il parut agréablement surpris de recevoir vingt francs de pourboire, et j'imagine qu'il les empocha.)

Nous stoppions devant la maison en début de soirée. Je dis à Sylvie :

« On sort les bagages, on ne défait rien ce soir, on se cuisine un petit dîner réparateur avec les provisions que nous avons apportées et on se couche. Le reste, demain. »

Ainsi fut fait. Quant aux chats, lâchés dans la nature, ivres de joie, on ne les vit rentrer, vannés, qu'à l'heure du couvre-feu.

Le lendemain matin, nous décidions de faire d'abord, à Gordes, un petit marché de fruits et de légumes frais avant de s'atteler à la corvée des rangements. Alors que je descendais, en voiture, la côte qui mène de chez nous à la départementale 15, Sylvie s'exclama :

« J'ai laissé mon sac sur la table de la chambre et, dedans, il y a mon chéquier. Comme tu n'as pas fermé la maison, à cause des chats, ça m'embête un peu. Je vais le chercher, j'en ai pour une minute.

– C'est prudent, en effet. Je vais aussi sortir le mien de ma boîte à archives. On ne sait jamais. »

Sylvie avait récupéré son sac. Mais, dans la chemise à sangle qui contenait mes documents financiers, tout se trouvait bien là, sauf mon chéquier justement. Et je me souvins tout à coup que la veille, à Paris, j'avais établi deux chèques : un pour France Télécom et un pour EDF-GDF et que, machinale-

107

ment, j'avais replacé mon chéquier dans le petit tiroir de mon bureau à cylindre, face à moi. (On ne se défait pas facilement de ses habitudes.) Je me souvenais même que j'avais eu du mal à refermer le tiroir car un agenda périmé le bloquait. Tant pis. On aviserait.

Nos courses terminées, je téléphonai à Roger :

« Désolé de te déranger, ma vieille. J'ai oublié mon chéquier dans le tiroir du milieu de mon bureau. Demain matin, la soubrette qui a les clés, vient faire le ménage. Pourrais-tu passer me le prendre et le poster ?

– Sans problème. »

Après quoi, Sylvie et moi avons vidé les valises, pendu les vêtements sur les cintres, donné un coup de chiffon sur les meubles, nourri les chats et sorti les fauteuils sur la terrasse. C'est là qu'après le déjeuner je choisis de me prélasser au soleil, heureusement surpris d'avoir affronté l'épreuve de ce retour avec une toute relative sérénité.

Et c'est alors que la tentation me vint de faire un peu de provocation. J'appelai Catherine, dont l'ombre légère rôdait sûrement dans les parages :

« Cathy, ma chérie, ça m'ennuie que mon chéquier voyage par la poste. Il peut se perdre, on peut le voler – Ramène-le moi, je t'en prie. »

Pourquoi me suis-je levé l'instant d'après ? Pourquoi suis-je allé vers la voiture, vide de tout bagage et où je n'avais rien à faire ? Pourquoi ai-je ouvert la portière arrière, ce que je ne fais jamais puisque je conduis ?... Entre mon siège et la banquette arrière, mon chéquier était sur le sol !

Or, à aucun moment depuis le départ, je n'avais ouvert la chemise à sangle, sauf ce matin pour découvrir qu'il n'était pas là, et à aucun moment je n'avais ouvert la boîte à archives, laquelle, d'ailleurs, se trouvait dans le coffre. Le carburant, je l'avais payé en espèces. Les chèques, je les avais faits la veille, comme en témoignaient les souches et je me revoyais clairement débloquant le tiroir pour y ranger le chéquier.

Aucun doute ne m'était permis : la minute d'avant, mon chéquier était à Paris ; la minute d'après il se trouvait sur le sol de la voiture. De surcroît, j'avais un témoin : Sylvie, qui, me voyant revenir, hilare, en brandissant l'objet, s'était exclamée :

« Eh bien, moi, ça ne m'étonne pas ! »

Le signe que j'attendais, que j'espérais, il était là, clair comme le jour. Enfin !

À partir de là, tout a changé. Mais pas d'un coup. Ce qui fut d'abord perceptible, c'est la présence immatérielle de Catherine dans cette maison et sur ces trois hectares de bois et de prairie où j'avais tant redouté de me retrouver, seul avec mes souvenirs et ma détresse.

Grâce à cela il ne me fut pas insupportable de parcourir, Mimi sur mes talons, ces sentiers que nous avions tracés ensemble dans la colline ; de désherber la restanque aux santolines qu'elle et moi avions taillées l'année d'avant – « Tu ne les coupes pas assez ras, mon chéri. Regarde comment je fais : jusqu'au bois ! » – de téléphoner à Petitjean pour qu'il vienne remettre en eau la piscine et réinstaller la machinerie, complexe et coûteuse, que Catherine faisait démonter tous les ans, par peur des cambrioleurs ; d'arroser les plantations et même de refaire un muret qui s'était effondré. Sans elle à mes côtés, j'aurais tout laissé tomber, j'aurais tout laissé en l'état.

Pourtant, nous n'avions pas d'échanges. Je lui parlais, mais elle ne me répondait pas. Malgré cela, depuis « le signe », je ne perdais pas l'espoir de l'entendre ou, d'une manière ou d'une autre, de percevoir son message.

Et puis les amis sont arrivés. J'avais décidé que rien ne serait changé à nos habitudes. Par lettre ou par téléphone, j'avais donc informé ceux que nous recevions tous les ans que Catherine et moi nous les attendions, aux dates qui leur conviendraient.

Et ils vinrent, ces bons amis. Claude Sylvain, Jean Michalon, Nini Moreau et Roger Coral, Jacques Grancher, Roger mon frère et Margaret, et aussi Dominique, ma fille aînée, qui passerait avec moi ses deux semaines de vacances.

Je savais Catherine heureuse de les voir là et présente à ces retrouvailles. Mais les occasions de tenter avec elle le dialogue se faisaient plus rares. Comme j'aime faire la cuisine et la fais, je crois, assez bien, j'étais aux fourneaux, ce qui, avec les emplettes que cela impliquait, me laissait peu de temps pour les tête-à-tête. Mais nous étions bien, tous ensemble. Et je n'étais pas le seul à sentir Catherine rôder. Plusieurs fois Nini m'avait dit : « Je la sens là, en ce moment... Elle est contente. »

Parfois, le soir, je descendais jusqu'à la prairie, dans ce coin de bois où Catherine et moi avions aménagé un espace un peu dégagé, restauré quelques vieux murs effondrés et monté des banquettes en pierres sèches qui faisaient d'agréables sièges. Nous appelions cet endroit « le salon », Dieu sait pourquoi. Mimi et Lulu l'adoraient. Dès que je m'y dirigeais, ils me filaient le train, s'asseyaient auprès de moi sur un muret ou bien escaladaient les branches basses d'un chêne blanc. Plus qu'ailleurs j'y sentais la présence de Catherine, sans doute parce que ce coin avait particulièrement requis nos efforts et notre énergie pour scier trois arbres morts, élaguer les cades, ajuster ensemble des pierres moussues, éradiquer les ajoncs. Assis près de mes chats, je lui disais mes projets pour la journée suivante :

« Demain, j'emmène Claude à Roussillon. Nous reviendrons par Lacoste et nous déjeunerons au "Simiane", chez les Devé. Tu nous accompagnes ? »

J'étais certain qu'elle approuvait ce programme, mais elle ne le manifestait pas.

Pourtant, un soir, alors que, nos amis couchés, je m'attardais sur la terrasse guettant le retour improbable de mes chats, je crus l'entendre me dire :

« Tu ne devrais pas les laisser dehors la nuit. Les renards sortent à ce moment-là... »

Elle avait toujours tremblé pour ses petites bêtes. Les dangers existaient, certes. Chiens errants, sangliers, renards, fouines, blaireaux et belettes partaient en chasse à la tombée du jour et pouvaient bien prendre Petit-Lulu pour un lapin. Mais la nuit est aussi le royaume des chats. Pouvait-on en priver les nôtres ? Il n'y a pas de liberté sans risques...

111

Cette discussion, nous l'avions eue souvent et, cette fois encore, nous échangions nos arguments comme autant de passes au fleuret moucheté :

« Ils sont dehors toute la journée, objectait-elle. Tu ne crois pas que c'est suffisant ?

– Je t'assure qu'ils s'éloignent beaucoup moins que tu ne le crois. Ils ont, l'un et l'autre, tracé autour de la maison un périmètre très restreint. Leur terrain de chasse ne dépasse guère la prairie au thym.

– Tu oublies que nous les avons trouvés un soir sur la route de Murs...

– C'était l'exception qui confirme la règle. Et puis, la nuit, la circulation est quasiment nulle sur cette route... »

Soudain j'eus la conviction que cette conversation sortait tout droit de mon imagination. Je faisais les questions et les réponses. Je la connaissais si bien, ma Catherine, je savais si bien ses angoisses, ses refus et ses préférences que je n'avais aucun mal à m'en renvoyer l'expression comme un écho à d'anciens et rituels échanges...

Une fois encore, le rationaliste balayait sans ménagements les espérances du désespéré. Il y avait eu « le signe », bien sûr. Mais elle était à ce point insensée, cette histoire de chéquier, que j'en venais même à douter de sa réalité. Qui pouvait croire une chose pareille ? Ce chéquier, n'était-il pas tombé de la poche intérieure de ma veste alors que je chargeais à Paris, dans la voiture, le sac réfrigéré aux provisions ? Et ma conviction de l'avoir remis dans le tiroir de mon bureau ne découlait-elle pas du fait que, ce geste, je l'avais fait cent fois ?...

Eh non, pourtant ! Pour mon confort, j'avais chargé les bagages et fait toute la route en survêtement. Or, dans la petite poche de cette tenue, des billets de banque pliés en deux entraient sans peine, mais en aucun cas un chéquier... Décidément non, je ne pouvais décemment pas douter du « signe ». Mais il en allait autrement de mes conversations « supposées ». Mieux valait, pour l'instant, n'y plus penser et voir venir. Objectivement et lucidement.

Au reste, le poids des journées laissait peu de place à la méditation. Accompagné ou non par les amis de passage, les invitations me faisaient renouer avec mes compagnons gordiens : Jeff et Nicole Rivaud, nos merveilleux voisins ; Janou et René Gabriel, des transplantés comme nous ; Christian et Annie Rosier à qui nous devions d'avoir trouvé ce terrain de rêve ; Jacqueline San Severino et ses vingt-quatre chats ; Samir Nahas et Michel dont les fêtes, dans leur étonnant domaine, réunissaient le tout-Gordes ; Éliane et Pierre Le Rolland dans leur maison de Goult, perchée au bord de la falaise ; Janine Revel qui vivait aux Imbert ; Claudette et Jean-Paul Imbert, le prince des électriciens ; Paul et Jean Dumont, conservateur du château de Versailles ; Maurice Chabert, notre maire, et son exquise épouse aux mains vertes ; la belle Dominique Cornwell ; et aussi Morton Horwich, Marie-Antoinette Fouillant, Jean et Manichak Aurance, Dorothée et Nicolas Kruhl, deux experts financiers internationaux ; Gabrielle von Brochowski, déléguée en Afrique de la Commission de Bruxelles ; Jean et Anne-Marie de Vazeilles, Ada et Christian

Hostalrich, Alain et Ginette Boudet, Janine et Jean-Claude Revel, et d'autres encore...

On se reçoit beaucoup à Gordes, surtout l'été, bien sûr. Mais ces amitiés, pour chaleureuses qu'elles soient, ne sont en rien « envahissantes ». Nul ne vous tient rigueur de ne pas être en forme, ou pris ailleurs, ou désireux de ne pas sortir ce soir-là. Avec ceux-là, tout est simple et facile. On peut dire oui au dernier moment, venir avec sa fille, partir de bonne heure. Avec un tact infini, ils n'évoquaient Catherine que si moi-même j'avais fait le premier pas. Ils se montraient alors intarissables tant l'affection et l'admiration qu'ils lui portaient étaient grandes. J'ai connu, près d'eux, des moments de grand réconfort et d'apaisante sérénité. Ils m'ont même, souvent, réappris à rire. Qu'ils en soient tous remerciés.

Très rares, cependant, étaient ceux auxquels j'avais confié mon « contact » avec Catherine. Je redoutais trop de passer pour un illuminé. « Ce pauvre Philippe !... Le chagrin lui a dérangé le cerveau. Voilà qu'il entend des voix, à c' t'heure, et qu'il se prend pour Jeanne d'Arc... » Cela eût été dit très gentiment, bien sûr, avec beaucoup de compassion...

René Gabriel et Annie Rosier, mis dans la confidence, étaient de ceux qui ne doutaient pas. Une autre amie m'avait étonné : Dominique Cornwell. Lors d'une de ses réceptions époustouflantes dont elle a le secret, je m'étais absenté un court instant, entre poire et fromage, pour faire quelques pas dans le parc nocturne baigné de projecteurs. Un peu plus tard, alors que je prenais congé, elle m'avait glissé à l'oreille :

« Je vous ai vu vous lever, pendant le dîner. J'ai tout de suite compris que vous alliez bavarder avec Catherine. » Et c'était vrai...

Le 26 août, Roger et Margaret, une amie anglaise, me quittaient pour rentrer, l'un à Paris, l'autre à Manchester. Pour la première fois depuis deux mois, je me retrouvai seul.

Ces présences successives avaient en quelque sorte exorcisé les démons du malheur. Elles ne m'avaient pas rendu la joie de vivre mais elles me permettaient de l'accepter. C'était beaucoup.

Le soir, après dîner, j'étais accoutumé à monter jusqu'à la piscine par le jardin en terrasses. De là-haut, la vue sur la vallée et la montagne était plus belle encore. Le soir enveloppait les reliefs d'une brume bleutée que trouaient, çà et là, les lumières allumées dans les maisons. Je branchais les projecteurs de la piscine et je m'allongeais sur l'un des transats du *pool-house*. Comme toujours, Mimi et Lulu m'avaient suivi. Eux aussi aimaient ce lieu, ce site, cette paix profonde qui tombait des étoiles. Mimi s'allongeait sur mes jambes. Lulu l'acrobate sautait sur le toit et, au-dessus de ma tête, ses petites pattes couraient sur les tuiles. Et à cet instant j'entendis :

« Tu es bien, mon bonhomme ? »

Je sursautai ! « Mon bonhomme »... Catherine m'appelait ainsi dans les moments de grande tendresse, mais je l'avais complètement oublié... Aucun doute possible, cette fois-ci c'était bien elle qui avait parlé, et non pas mon imagination !

Une bouffée de bonheur m'envahit. La communication passait ! Elle tenait sa promesse et tout rentrait dans l'ordre.

Maintenant je la sentais, presque physiquement, tout près de moi, allongée sur l'autre transat, me regardant et souriant, levant la tête pour guetter les pas d'oiseau de son petit chat sur le toit, me tendant même la main par-dessus l'accoudoir...

Les choses reprenaient leur place. La séparation était abolie.

Je vécus des jours de presque bonheur. Est-ce à dire que ce premier contact avait balayé tous mes doutes et toutes mes interrogations ? Non, malheureusement. Parfois ce qu'elle voulait dire m'arrivait haut et clair, mais, le plus souvent, je demeurais persuadé que je m'étais soufflé à moi-même les mots que j'aurais voulu entendre. L'éternel sceptique remettait tout en question...

Un matin, je reçus de tout cela une explication logique, évidente. J'avais très bien dormi et je me trouvais en état de parfaite réceptivité. Assis sur la terrasse, face au panorama grandiose que m'offrait la chaîne du Luberon, je m'étais mis à l'écoute sans rien pour m'en distraire. Et me parvint ceci :

« Tu as du mal à démêler ce que je te dis, moi, de ce que tu imagines que je te dis. C'est normal. Mes mots à moi ne passent pas par ton tympan : ils vont directement à ton cerveau. Et qu'est-ce qu'ils y trouvent ? Tes mots à toi. C'est comme une gare de triage où il y aurait un peu le bordel : ça part dans tous les sens et ça se télescope.

— Qu'est-ce que je dois faire ?

116

– Le vide complet dans ton cerveau. Tu ne dois penser à rien. À rien !... Alors tu m'entendras, clairement et sans interférences.

– Ce n'est pas facile...

– C'est une question de volonté et, aussi, d'exercice. Mais ça ira de mieux en mieux, le tintouin... Les chats ne sont pas rentrés de la nuit.

– Ils étaient là ce matin.

– Une vraie chance ! Tu crois indispensable de les laisser vadrouiller au milieu de tous ces dangers ?... »

Nous n'avions jamais conversé aussi longtemps. J'étais grisé. Ça semblait tellement simple ! Et pourtant je savais qu'il m'arriverait encore souvent de prendre mon discours pour le sien. Affaire de volonté et d'exercice, avait-elle dit. J'allais m'y employer.

Ce même soir, ma vaisselle lavée et rangée, nous nous sommes retrouvés sur la terrasse, devant les étoiles. Je sentais qu'elle allait et venait. À cette perception, j'étais bien entraîné. La sensation de sa proximité était très nette. Celle de son absence aussi. Je me promettais de l'interroger un jour sur ses mystérieuses occupations, mais j'avais déjà observé que, lorsque je l'appelais, elle se trouvait, dans l'instant, à mes côtés.

C'était le cas, en ce moment précis. Elle me dit :

« Je vais aller voir Thérèse. Elle ne va pas bien. »

Je consultai ma montre-bracelet :

« Il est 10 h 30. Tu ne crois pas qu'elle est couchée ? Elle se lève tôt, tu sais.

– Je verrai bien. »

117

Et, soudain, je ne la sentis plus auprès de moi.

Cela se passait un lundi.

Le mercredi suivant, j'eus l'idée de téléphoner à Thérèse pour avoir de ses nouvelles. On bavarda un bon moment. Elle vivait mal les derniers jours d'un jeune homme, atteint du sida, dont elle s'occupait et auquel elle s'était attachée. Elle s'informa de ma santé, de mon séjour. Tout à trac, je lui demandai :

« À propos, Thérèse, vous n'avez pas eu une visite, avant-hier ?

— Si. Catherine est venue me voir. Elle m'a même caressé les cheveux comme elle le faisait quand je me penchais vers elle, vous vous souvenez ?

— Il était quelle heure ?

— Dix heures et demie. J'allais me coucher... »

Dix heures et demie ! La même heure !

Thérèse Poucet est une femme qui a les pieds sur terre. Beaucoup de gens la connaissent et l'estiment. Elle ne raconte pas des histoires pour se rendre intéressante.

Le fait était là, en attendant : il avait fallu une seconde à Catherine pour se rendre, de Gordes, au fin fond du XXᵉ arrondissement de Paris.

Septembre s'annonçait royal. D'autres amis, qui rentraient sur Paris, faisaient halte chez nous, et je pouvais les traiter midi ou soir, sur la terrasse, sans l'appoint des « petites laines ».

Catherine m'avait dit un matin :

« Oursette, tu m'épates. »

Elle faisait allusion au fait que j'avais réussi à remettre en état de marche tout ce qui était en panne ou faisait problème : la fosse septique qui débordait, le circuit électrique du salon, le lave-linge, la douche de la chambre d'amis, les poutres de la terrasse rongées par les bestioles, l'alarme, qu'un orage avait foudroyée, la route d'accès, ravinée par les pluies, et que j'avais fait refaire en dur à des conditions exceptionnellement intéressantes, que sais-je encore. (C'est ça, les maisons que l'on abandonne pendant un an. Elles se vengent.) Mais si j'avais pu me débrouiller, c'est parce qu'elle consignait, avec méthode et précision, les coordonnées des artisans auxquels il convenait de faire appel, les modes d'emploi, les astuces du bricoleur, les erreurs à éviter. Si moi je l'épatais aujourd'hui, elle-même n'avait jamais cessé de m'étonner.

J'avais programmé mon retour à Paris pour le 13 septembre car, le 15, je m'étais engagé à prononcer, à la mairie du XVIIᵉ, une conférence sur la libération de Paris à l'occasion de la sortie en librairie de mon livre : *Paris libéré. Ils étaient là !* Une promesse est une promesse, et j'ai pour habitude de tenir les miennes.

Cette plage de solitude de deux semaines, coupée des ultimes invitations, m'offrait de multiples occasions de renouer le dialogue avec ma bonne femme, et je n'allais pas m'en priver ! L'habitude aidant, je la percevais de mieux en mieux. Il m'arrivait encore d'interférer mentalement avec son propos, mais, la plupart du temps, l'auto-discipline que je m'imposais me permettait de la recevoir cinq sur cinq.

L'une des questions qui me brûlaient les lèvres était naturellement celle-ci :

– Où es-tu au juste ? C'est quoi, ton univers ? Quelles sont tes occupations ?

Et voici ce qu'elle m'avait répondu :

– Je ne peux pas te l'expliquer. Les mots dont tu te sers, et dont je me servais moi-même « avant », ne peuvent en aucun cas décrire ou expliquer cette autre vie qui est la mienne, ni davantage mon environnement. Il s'agit ici d'un autre univers, d'autres perceptions, d'autres émotions, d'autres facultés et d'un autre langage.

« Ce que je peux te dire seulement, car ça tu peux le comprendre, c'est que les notions de temps et d'espace n'existent plus. Nous sommes libérés des pesanteurs terrestres et des contraintes qui corsetaient la pensée, le mouvement, la communication. Et puis, le plus important... Je n'avais, sur terre, qu'une perception étriquée de Dieu, quelque chose de vague et de peu réfléchi, un reliquat d'éducation chrétienne, une routine qui vous conduit, avec les autres, aux fêtes carillonnées, vers des messes distraites et un peu ennuyeuses... Mais ici !... Maintenant !... Tu ne peux pas imaginer... L'éblouissement dans le bonheur...

– Tu me donnes bien envie de te rejoindre...

– Je sais que tu as pensé à te supprimer quand je t'ai quitté. Tu t'es même renseigné sur le moyen le plus sûr d'en finir, et on te l'a donné. Je le sais, oursette. Mais je te demande de n'en rien faire. Je te l'avais déjà demandé d'ailleurs.

– Imagine la situation inverse. Qu'aurais-tu fait, toi ?

– Moi, c'est différent. Je n'avais que toi, sur

terre, avec les chats. Eux, je les aurais casés chez des gens qui les aiment et où ils seraient restés ensemble et heureux. Après quoi je me serais flinguée, sûr et certain. Toi, tu as tes filles. Et, aussi, tu as encore beaucoup à faire :

— Faire quoi ?... À soixante-dix-sept ans, je suis au bout de la route. Ma tâche ici-bas est finie.

— Pas du tout. Tu as encore beaucoup de bonheur à donner avec tes livres.

— Sans toi pour me lire, je n'ai plus le goût d'écrire... Et écrire quoi d'ailleurs ?

— Tu as à écrire ce qui nous arrive, à nous, en ce moment.

— Personne ne le croira. Et, d'abord, pour quoi faire ?

— Pour donner de l'espérance aux désespérés. Pour que ceux qui pensent que la mort est un grand trou noir dans lequel on disparaît à jamais apprennent que la mort ne sépare pas ceux qui s'aiment ; qu'ils peuvent se retrouver, se comprendre, se parler, s'aider mutuellement. Le vouloir et y croire, et cela devient possible. D'ailleurs, c'est la seule vraie consolation. Et si tu l'écris, on te croira, parce que tu es le contraire d'un affabulateur. Il y aura, bien sûr, des lecteurs pour douter. Mais il y en aura aussi beaucoup pour te croire parce que tu as toujours été un type concret, raisonnable, sérieux, dans ton boulot et dans la vie. Les réputations, ça compte.

— Es-tu heureuse ?

— Je suis immensément heureuse, le tintouin. Et puis, ne plus avoir mal, ne plus sentir ce corps souffrant...

121

– Tu ne pouvais rien me dire qui me console davantage. »

Ces entretiens, je les consignais séance tenante, de peur de les oublier, ou d'en rajouter plus tard. Mais je ne consignais que ce dont j'étais absolument certain et qu'authentifiaient le style de Catherine, les mots de Catherine, les intonations de Catherine. Et ça, je connaissais bien !

Elle prétendait ne pas savoir écrire, bien que les brouillons des lettres qu'elle me soumettait fussent parfaits. Mais son langage dénotait une grande richesse de vocabulaire, le sens des images, de la verve et de l'humour. En bref, elle s'exprimait avec une telle originalité qu'il était impossible, quand elle « communiquait » vraiment, de confondre nos deux discours. Cependant, ainsi que je l'avais pressenti, il arrivait encore – et il arriverait sans doute longtemps – qu'un mot à moi, une phrase à moi se glissât subrepticement entre deux mots ou deux phrases d'elle. Mais, l'habitude aidant, je dépistais très vite les intrus et je les évacuais systématiquement de la relation écrite de nos entretiens. Au reste, Catherine m'avait dit de ne pas me préoccuper outre mesure de ces épisodiques intrusions :

« Ça n'est pas étonnant, oursette. Souviens-toi qu'il nous est arrivé des centaines de fois de penser la même chose au même moment. D'ailleurs, entre gens qui ont des relations affectives, c'est un phénomène très connu que les psys ont analysé depuis belle lurette. Ça a un nom que j'ai oublié. Si donc on se refilait nos pensées, jadis, à distance, de cerveau à cerveau, à plus forte raison maintenant, dès lors que nos petites jactances se passent dans une seule caboche : la tienne. »

Tout cela m'aidait à mieux comprendre. Dans le combat incessant que se livraient ma conviction qu'un contact intelligible s'établirait entre nous, et mon incrédulité congénitale, les bonnes certitudes gagnaient du terrain et finiraient, sans doute, par l'occuper tout entier.

Est-ce pour les y aider que Catherine, de temps en temps, ajoutait un « signe » qui ressemblait à un clin d'œil ? À deux semaines de mon départ, elle m'en adressa un autre...

La veille, j'avais fait un dernier grand marché chez Leclerc, à Cavaillon, et, rentré vers 5 heures du soir, j'avais déchargé mes emplettes. Ma Golf est dotée d'une alarme qui se déclenche si les portes restent ouvertes plus de x secondes. (Je ne dirai pas combien pour ne pas documenter d'éventuels malveillants.) Le seul moyen de ne pas la mettre en route consiste à laisser le contact du moteur allumé. Ce que je fis, le temps de vider mon carrosse. L'ennui est qu'après cela j'oubliai de couper le contact et de retirer la clé. Si bien que, le lendemain, lorsque je voulus, vers 11 heures du matin, descendre au village, le moteur me refusa tout service. Je téléphonai au garage Chauvin, aux Imbert, auxquels je confiai mon infortune :

« Pas étonnant, s'esclaffa M. Chauvin. Votre batterie est complètement à plat. Avec, en plus, le clignotant de votre alarme qui marche en permanence... Je vous envoie mon fils avec une batterie neuve. »

En l'attendant, je m'installai sur la terrasse. Vers midi, je vis la Peugeot de Stéphane Chauvin pénétrer sur le terrain et, un peu par jeu, je confiai à Catherine :

« C'est tout de même idiot d'acheter une batterie neuve ! Il y a des façons plus intelligentes de gaspiller son argent.

– Va mettre le contact, oursette. »

J'obtempérai. Au premier tour de clé, le moteur démarra joyeusement. Il tournait encore quand Stéphane vint ranger sa voiture contre la mienne :

« Mais elle est parfaite, votre batterie !

– Oui. Je ne comprends pas... J'ai dû faire tout à l'heure une fausse manœuvre... »

Il prit place derrière mon volant, coupa le contact, le remit, et le moteur repartit avec entrain :

« Elle est chargée à bloc.

– Je suis désolé de vous avoir dérangé pour rien, Stéphane.

– Ça n'a pas d'importance, monsieur Ragueneau. Je préfère pour vous que tout marche bien. »

Un peu plus tard, j'interrogeai mon ange gardien :

« Qu'est-ce que tu as fait ?... C'est comme pour mon chéquier... Je n'ai toujours pas compris... Tu as un truc ?

– Il y a des questions qui n'appellent pas de réponses, le tintouin. Tu l'as retrouvé, ton chéquier, et ton moteur tourne, alors il faut te contenter de ça et ne pas m'en demander davantage. Te souviens-tu que, dans les derniers jours du mois de mai, avant que je ne te quitte physiquement, je t'avais dit que je t'aiderais ?

– Oui, bien sûr !

– Eh bien, c'est ce que je fais. Mais mon aide a des limites. Je ne suis pas le bon Dieu et tu resteras toujours libre de tes décisions, bonnes ou mauvaises. Je ne peux donc pas t'empêcher d'être tête en l'air, ni d'oublier de couper le moteur. Tout ce que je peux tenter, c'est de limiter les dégâts.

– C'est déjà beaucoup !

– Ravie que tu en conviennes, mon oursette. »

Je n'étais pas le seul à bénéficier de cette surnaturelle assistance. Ses amis y avaient droit aussi, et Nini Moreau en est la meilleure preuve...

L'« Émile », que géraient Nini et Roger, ne désemplissait guère. Mais huit ans de ce bagne, qu'est un restaurant dans Paris, suffisait à leur bonheur et ils avaient décidé de vendre au plus vite le fonds. Las, l'année 1994 ne voyait pas encore poindre la fin d'une longue récession et nul n'avait répondu à leurs petites annonces répétées. Ce jour de septembre, dont j'ai oublié la date, Nicole Moreau se sentait plus découragée et plus dépressive que jamais. Elle attendit le départ du dernier client et se rendit à l'église Saint-Eustache, toute proche. Elle fit, à Catherine, une petite prière :

« Aide-moi, ma grande. J'en ai marre, mais marre !... »

Quand elle revint à l'« Émile », le téléphone sonnait. Elle décrocha, et une voix inconnue lui dit :

« Madame Moreau ? Votre restaurant est-il toujours à vendre ? Je serais intéressé... »

L'affaire fut conclue, et elle a vendu l'« Émile ». (Que ceux qui doutent interrogent Nini ou Roger.)

Leïla Menchari en fit également l'expérience. Leïla est décoratrice en chef de la maison Hermès. C'est elle qui conçoit et réalise ces extraordinaires vitrines qui font courir les Parisiens rue du Faubourg Saint-Honoré. Elle est, de longue date, une amie très chère et nous nous voyons souvent, soit à Paris soit, plus rarement, à Hammamet, où elle dispose d'une belle demeure entourée d'un parc opulent. Des heures durant, Catherine et elle discutaient chiffons, décoration, passementerie, ornements rares – une passion partagée.

Ce soir-là je l'avais appelée pour avoir de ses nouvelles. Elle préparait ses vitrines d'automne et butait sur une difficulté majeure.

« J'étais complètement en panne. Impossible de trouver le bon assemblage de couleurs pour l'angle de la grande vitrine. Catherine me manquait bien, elle qui avait une relation sensuelle avec les tissus et les matières... Et, tout à coup, j'ai senti qu'elle m'inspirait : "Te souviens-tu de ce taffetas changeant que tu avais utilisé pour ta vitrine d'hiver de 1992 ? Tu avais marié un rose et un jaune qui allaient merveilleusement ensemble. Ce n'est pas la solution ?" – Si, ça l'était ! Merci, ma grande ! »

Par la suite, Catherine m'avait précisé en quoi consistait son assistance :

« Je te l'ai dit, je ne suis pas thaumaturge. Je ne suis qu'une petite bonne femme qui se trouve un peu mieux placée que vous autres pour plaider les bonnes causes. Je peux donc essayer – je dis bien, essayer – de faire en sorte que les conséquences de vos maladresses ou de vos erreurs soient limitées.

Mais, plus généralement, je dirais même, plus normalement, mon aide consiste à inspirer les bonnes décisions et à dispenser les bons conseils. Ça, c'est à ma portée en permanence et ne dépend que de moi seule. Alors tâche d'écouter mes conseils, le tintouin, ce que tu ne faisais pas tellement quand nous vivions ensemble. »

Et pan sur les doigts !

En attendant, ce qu'elle venait de me confier ajoutait à ma perplexité en ouvrant peut-être d'autres perspectives. Si l'affaire du chéquier retrouvé demeurait, pour moi, mystérieuse, car j'en avais, très objectivement, examiné tous les tenants et aboutissants sans trouver de réponse logique, en revanche, l'affaire de la batterie qui redémarre ressortissait peut-être du simple conseil : « Va mettre le contact, oursette. » Sous-entendu : « Tu t'y es mal pris, ce matin. Ou alors les bougies étaient humides. Ou bien il y a eu interférence entre l'alarme et l'allumage. Mais il reste assez de jus dans la batterie. Va vérifier avant que Stéphane ne te mette d'autorité une batterie neuve. »

Très possible, en effet. Mais, dans ce cas, une chose était incontestable : le conseil très net et très profitable qu'elle m'avait donné : « Va mettre le contact, oursette. » Comme demeurait possible aussi une intervention plus musclée... Car, en plein soleil, de l'aube à 11 heures, les bougies étaient sûrement sèches ; et puis je sais quand même, depuis le temps, mettre un moteur en route ; de plus l'alarme étant coupée, aucune interférence avec l'allumage n'était possible ; enfin, à tout le moins, le moteur eût peiné à démarrer...

Ce jour-là, je décidai de ne plus chercher midi à 14 heures, de ne plus me poser de questions, et, surtout, de ne plus m'efforcer de démêler ce qui relevait du bon conseil et ce qui résultait des « dons » providentiels de madame mon épouse. Je me bornerais à constater les résultats et à la remercier du fond du cœur.

Et des occasions de la remercier, elle m'en fournissait. Le jour, par exemple, où je ne retrouvais plus les clés de la maison... J'étais allé chercher le courrier et avais ouvert la boîte aux lettres avec la clé attachée au trousseau. Et c'est tout ce trousseau qui avait disparu.

« Tu l'as laissé sur le muret du salon de verdure quand tu t'es assis pour décacheter ton journal et parcourir les grands titres. »

C'est bien là qu'il était, en effet. Sancho Pança, naturellement, me glissa perfidement à l'oreille que n'importe qui, n'importe quand, pouvait tout à coup se rappeler de l'endroit où il avait par mégarde posé un objet. Oui, bien sûr. Était-il pour autant interdit de penser que Catherine m'avait aidé à m'en souvenir ? (Alain l'avait fait si souvent !) De surcroît, dans ce cas précis, son conseil, ou sa recommandation, me parvenait sous une forme parfaitement identifiable et clairement personnalisée, et n'était en rien quelque chose comme : « Suis-je bête ! Je l'ai laissé sur le muret du salon de verdure ! »

Autour de nous, cependant, l'automne montrait déjà le bout de son nez. Dans nos régions où les persistants dominent, il arrive masqué. Mais l'air était plus frais et les journées plus courtes.

Les chats, eux, paraissaient décidés à s'éterniser dans ce haut lieu de toutes les libertés. Ils s'ébattaient dehors du matin au soir et du soir au matin car je m'étais décidé à leur ménager une chatière à l'extrémité de la grande baie coulissante, ce qui leur permettait d'entrer et de sortir quand bon leur semblait. Sachant, comme disent les Anglais, qu'« un chat n'est jamais du bon côté de la porte », cela réglait au moins un problème : celui du portier de ces messieurs.

Catherine n'approuvait guère ces dispositions libérales qui lui semblaient quelque peu homicides. Mais ayant constaté, tout comme moi, que les deux loustics ne s'éloignaient guère la nuit de la maison, elle s'était fait finalement une raison. Et puis, n'est-ce pas, je comptais sur elle pour les protéger, ces mignons...

Le soir, après le dîner, ils nous tenaient souvent compagnie sur la terrasse, chacun paresseusement lové dans son fauteuil. Je mettais en route l'arrosage automatique de la pelouse et, vers 11 heures, je sonnais le couvre-feu. À partir de là, selon leur humeur et le temps qu'il faisait, ils m'accompagnaient jusqu'à ma chambre ou bien s'évaporaient dans la nature à la recherche d'un dernier mulot à se cloquer dans la dent creuse.

Ce programme était à l'affiche, ce soir-là. Ayant consulté ma montre, je m'en fus d'abord couper l'arrosage. J'avais, le matin même, posé sur le muret qui encadre la pelouse les pierres qui me servent à caler les roues de la voiture lorsque je la gare sur la pente. Afin d'éviter le jet du tourniquet, je fis un pas en arrière pour monter sur le muret. Mon pied se posa sur ces pierres branlantes, pivota, glissa, et je partis en vol plané pour atterrir, deux mètres plus bas, sur les arêtes dures de l'escalier de pierre qui mène à la pelouse. Par chance, mon instinct de parachutiste m'avait fait pivoter, tout en chutant, de façon à ne pas tomber sur la colonne vertébrale. Mais cela ne m'empêcha pas de voir trente-six chandelles illuminer la nuit...

Jamais avant cet instant je n'avais éprouvé un tel sentiment d'intense solitude physique. Répandu sur le dos, les bras en croix, en travers de cet escalier meurtrier, endolori et à demi assommé face aux étoiles indifférentes, je me sentis abandonné de l'humanité entière. Personne pour m'aider à me relever... Personne pour téléphoner à un médecin... Personne pour me dire les mots du réconfort... Car, pour tout arranger, Catherine n'était pas là.

Je me remis sur mes jambes et me tâtai tout le corps. Apparemment rien de cassé. Je pouvais marcher normalement. Je rentrai et, pour éviter l'hématome, je me frictionnai énergiquement au Synthol tout le côté gauche du corps. (C'était la dernière chose à faire, mais je l'ignorais encore.) Après quoi je pris un bain très chaud et j'allai me coucher. Une fois allongé, j'appelai Catherine :

« Merci beaucoup, ma chérie. Si c'est comme ça que tu me protèges, c'est plutôt mal barré !

— Écoute, oursette, je te l'ai dit plusieurs fois : je ne peux pas t'empêcher de faire l'andouille. Je peux tout juste m'employer à faire en sorte que ta chute n'ait pas de suites fâcheuses. Téléphone au Dʳ Nivière dès demain à la première heure et demande-lui de venir te voir.

— Ce n'est pas la peine. Je n'ai rien de cassé. J'aurai un bleu, voilà tout.

— Je t'en supplie, écoute-moi ! Téléphone à Nivière. Ce n'est pas toi qui peux savoir si tu n'as rien de cassé... Mais je suis désolée, vraiment... Tu dois beaucoup souffrir...

— J'ai eu pire. Mais je ferai ce que tu me demandes, puisque tu y tiens. »

Dire que je passai une bonne nuit serait exagéré.

Le lendemain, après mon café, j'appelai, comme promis, le Dʳ Nivière. Une heure plus tard il était là. Il m'examina et me dit :

« Il faut faire une radio tout de suite. Faites-vous conduire à la clinique du Dʳ Brun, avenue Gabriel-Péri. Et, en route, arrêtez-vous à une pharmacie pour acheter les cachets que je vous prescris. Vous en prendrez deux tout de suite. Ça calmera un peu la douleur. Et vous me tenez au courant. »

Quand on a un problème, quand on a besoin d'une main secourable, quand on ne sait plus à quel saint se vouer, qui appelle-t-on à l'aide ? Jef et Nicole Rivaud, naturellement... Quinze minutes plus tard, la Peugeot de Jef stoppait devant la maison. Une heure après, nous entrions dans Cavaillon. Trente minutes plus tard, le Dʳ Douce m'annonçait :

« Quatre côtes cassées net. Les neuvième, dixième, onzième et douzième côtes gauches. Bravo, mon vieux. Vous ne vous êtes pas loupé ! »

131

Sur la route du retour, je fis l'acquisition d'un bandage de maintien Thuasne, et la vie reprit comme avant. Je confesse que les nuits n'étaient guère plaisantes. Avec quatre côtes cassées, on ne sait pas comment se mettre : toutes les positions sont douloureuses. Je finis par découvrir que, couché sur le dos, on arrivait à dormir.

Catherine compatissait. Elle me disait des mots gentils. Elle s'en voulait d'avoir été absente à ce moment-là. « Mais je crois que ça n'aurait rien changé. » Elle devait sentir que, par moments, je lui en voulais encore de ne pas m'avoir évité cette chute. Alors, patiemment, elle mettait les choses au point :

« Si mes interventions avaient le pouvoir de t'éviter tous les accidents, tous les ennuis, tous les pépins, tous les problèmes, ce serait trop beau et trop facile... Tu ne tomberais plus jamais, tu ne t'enrhumerais plus jamais, tu ne perdrais plus jamais tes clés, ta voiture ne crèverait plus jamais, tu ne souffrirais plus jamais et, à la limite – pourquoi pas ? – tu ne mourrais pas non plus. Est-ce que tu comprends ?... Par contre, je peux te dire que tes côtelettes vont se ressouder parfaitement et que, dans trois semaines, tu ne les sentiras même plus. »

J'étais à quatre jours du départ sur Paris. Roger m'avait spontanément offert de venir jusqu'à moi par le TGV Ainsi je ne serais pas seul pour le voyage de retour et il prendrait le volant aussi souvent que nécessaire. Roger est un frère aussi discret que dévoué. Catherine disait de lui : « Quand on veut voir Roger, il faut lui dire qu'on a un service à lui demander. Alors il accourt. »

Je le constatais une fois de plus.

Avec son aide, le voyage fut agréable et facile. Mais deux passagers faisaient la gueule : Gros-Mimi et Petit Lulu...

Ce qui m'attendait à Paris ressemblait à s'y méprendre à ce que j'avais trouvé à Gordes, en arrivant : une demeure qui se vengeait... Tout ou presque était en panne : la chaudière, le lave-vaisselle, le téléviseur de la cuisine, la chasse d'eau, les appliques de la salle à manger, l'alarme, et jusqu'aux phares de ma voiture... La joie.

Mais par où commencer ?...

Dans l'ordre des urgences, la chaudière s'imposait. Je n'avais plus d'eau chaude. Impossible de prendre un bain ou une douche, ni, bien entendu, de faire fonctionner les machines à laver.

Je pris l'agenda noir où Catherine m'avait fait consigner ses recommandations et je l'ouvris à la lettre C. Je lus :

« Chauffage : L'entretien et le ramonage peuvent être faits par "Idéal Standard" (racheté par Chappée). Téléphone : 48.65.79.78. »

J'appelai donc le numéro indiqué pour m'entendre dire qu'avec la rentrée des Parisiens, la maison était débordée et qu'on ne pourrait m'envoyer quelqu'un que dans trois semaines au plus tôt. Ça ne faisait pas du tout mon affaire. Je consultai Catherine :

« Regarde dans les pages jaunes de l'annuaire du téléphone. Tu trouveras.

– Là, tu m'étonnes !... Piquer au hasard, dans l'annuaire, le nom d'un dépanneur, ça n'est pas

dans tes habitudes. Je ne t'ai jamais vu faire ça !...
Je vais plutôt demander conseil à l'une ou l'autre de
mes copines, ou à M. Coulambon.

– Non. Regarde dans les pages jaunes de
l'annuaire.

– Bon, si tu insistes... »

J'allai donc pêcher l'annuaire des professions et
je l'ouvris à la rubrique « chauffage ». Et la première annonce qui me sauta aux yeux fut celle-ci :

« Les Compagnons de l'Ile-de-France. – Main-
tenance gaz mazout, électricité. Toutes marques.
Dépannages, réparations de chaudières – 20, rue Le
Bua - 75020 Paris. Tél. : 43.64.64.64. »

Trois ans plus tôt, une poutre maîtresse du salon,
– celle qui soutient le chevêtre – s'était largement
fendue, sans doute sous le poids du piano à queue
de nos voisins du dessus. Sur le conseil de Roger,
nous avions fait appel aux Compagnons de l'Ile-de-
France, des professionnels dans la grande tradition
du compagnonnage. Ils avaient dégagé de ses loge-
ments cette poutre énorme de sept mètres de long et
vieille de quatre siècles au moins, l'avaient passée
par la fenêtre du salon puis emportée à l'atelier ;
dans une partie du salon, totalement protégé par des
feuilles de plastique, ils avaient soudé une poutrelle
d'acier, incurvée selon la courbure du plafond, et
mis en place cette armature ; puis, enfin, ils l'avaient
habillée avec des lames de la poutre brisée, de telle
sorte que plus rien ne la distinguait dans la poutrai-
son. Un travail de charpentier extraordinaire... Mais
j'étais à cent lieues de me douter que les Compagnons s'occupaient aussi de chauffage !

Catherine n'avait pas le triomphe modeste :

« Tu as vu ?... Il faut toujours m'écouter, le tin-touin. Les domaines dans lesquels je te serai le plus utile sont le conseil, la recommandation et la mise en garde.

– Et les "signes", alors ?... Le chéquier, la batte-rie...

– Les signes sont une faveur qui m'est excep-tionnellement accordée. Ils sont à l'usage des saint Thomas comme toi. Mais je doute que tu en aies d'autres : tu n'en as plus besoin. Maintenant, sur ce sujet, je ne t'en dirai pas plus. »

Je n'insistai donc pas et j'appelai les Compa-gnons.

« Aujourd'hui, il est un peu tard pour que nous venions, me dit une voix aimable. Mais est-ce que demain matin vous convient ? »

J'étais sidéré... Eux aussi, pourtant, devaient être débordés...

Le lendemain, le dépanneur se présenta à l'heure dite, et je lui montrai le corps du délit. Il admira l'installation :

« C'est du travail superbe ! Vous auriez du mal, aujourd'hui, à faire réaliser une installation comme celle-là ! »

Il alla droit aux robinets qu'il fallait ouvrir, vérifia l'allumage, tourna une manette, régla la distribution...

« Voilà. Votre eau chaude est en route, monsieur.

– Le ramonage n'a pas été fait depuis trois ans. Mais je me méfie des ramoneurs qui viennent raco-ler à domicile. Connaissez-vous quelqu'un ?

– Certainement. La société Terrier vous fera ça

très bien. Et ils ne sont pas chers. Voici leur téléphone...

– Merci. Combien vous dois-je ?

– Deux cent trente francs, TVA comprise. »

En plus, c'était donné.

Maintenant que j'avais la bonne filière, j'allais
l'exploiter. Les « pages jaunes » m'apprirent que les
Compagnons faisaient aussi dans l'électricité, et le
jeune homme auquel je fis appel me sembla aussi
compétent que son collègue. Mais son diagnostic fut
sévère :

« De quand date votre tableau électrique ?

– Il a vingt ans, environ. »

Il me montra des traces noirâtres autour des céra-
miques qui contenaient les plombs :

« Tout ça, ce sont des courts-circuits. On ne se
sert plus de ces machins-là. Votre tableau est à
l'intérieur de votre penderie. Vous risquez un incen-
die que l'assurance ne couvrira pas. Le conseil que
je vous donne est de changer le tableau. Je vais
vous faire un devis et vous réfléchirez. » Et il me
laissa.

« Il a raison, dit Catherine, et tu peux lui faire
confiance. On a eu déjà des pépins avec ce tableau,
souviens-toi. »

Je connaissais un électricien, dans le quartier, qui
nous avait fait du bon travail. Par acquit de
conscience, je le consultai. Son diagnostic fut le
même, mais son devis à lui était de trois mille
francs supérieur à l'autre.

J'ai donc fait changer, par les Compagnons, le
tableau électrique.

Le reste suivit, aussi vite et aussi bien. On vint remettre la télé en route, déboucher la conduite d'évacuation des eaux usées, réparer la machine à laver et changer la batterie de l'alarme qui avait rendu l'âme. À ce propos, Catherine me souffla un autre bon conseil :

« Achète la batterie toi-même. Tu la paieras deux fois moins cher, au moins, que celle que t'apportera le dépanneur : Marianne connaît un très bon fournisseur, près de chez elle. »

Ce que je fis, avec profit.

Et ainsi, petit à petit, l'appartement se trouva en ordre de marche. J'eus même droit à des compliments :

« Tu vois, oursette, ma grande crainte à l'idée de te laisser seul était que tu ne saches pas te débrouiller. Eh bien, tu t'en tires épatement !

– Beaucoup grâce à toi, dis donc !

– D'accord. »

D'accord. Ç'avait été un maître mot dans la vie de notre couple. D'accord, nous l'étions sur presque tout, en tout cas sur l'essentiel. Nous aimions les mêmes amis et nous avions, à l'égard des minables et des méchants, la même répulsion. Ensemble nous avions visité bien des pays, approché beaucoup d'autres ethnies. En tête elle plaçait les Irlandais, et moi aussi. Puis venaient les Québecois, les Anglais et ces Yougoslaves que nous avions rencontrés à Sarajevo, Split ou Dubrovnik et dont il nous importait peu de savoir s'ils étaient serbes, musulmans ou bosniaques. (À l'époque, d'ailleurs, nul ne semblait

137

s'en soucier non plus.) Nous avions communié dans les mêmes émerveillements à Venise, Rome et Florence. Au zouma de Tananarive, nous avions souri aux mêmes spectacles ; aux Comores, nous avions ressenti la même émotion devant « le Trou du diable » ; à Saint-Barthélemy, nous avions partagé les mêmes découvertes ; à Bruges, nous admirerions les mêmes primitifs flamands ; à Galway, ce dimanche matin, nous partirions d'un même éclat de rire en voyant un flux d'Irlandais assoiffés passer, en bloc, de l'église au pub, juste en face ; sur le marché de Dakar, nous avions marchandé les mêmes objets. Lorsque, à la Réunion, elle avait insisté pour entrer dans l'enclos de guépards non apprivoisés, les caresser et jouer avec eux, je l'y avais suivie, naturellement, et, du reste, j'avais eu quelque mal à ouvrir la gueule d'un des fauves qui lui tenait solidement la cheville et ne voulait pas la lâcher. « Et ma rencontre avec Brando, tu te souviens ?... » Lors d'une fastueuse réception où se pressait le tout-Paris, elle était tombée nez à nez sur Marlon Brando. Qui a vu une mangouste fixer un cobra peut imaginer le regard de Brando, absolument fasciné par cette beauté que le hasard plaçait devant lui. On pouvait tout supposer... Qu'il la prenne par le bras, qu'il l'embrasse, qu'il la viole sur place... Il ne bougeait pas, le regard fixe, immobile, et Catherine, qui ne parle pas un mot d'anglais, semblait elle aussi transformée en statue. J'avais senti qu'il fallait intervenir :

« *May I introduce you my wife*, Catherine Anglade ? »

138

Brando s'était aussitôt décrispé et tout s'achèverait par un agréable entretien à trois, dans un coin du salon. « Tu as fait exactement ce qu'il fallait faire, le tintouin. Tu as été parfait. »

Nous nous portions, je crois, une estime mutuelle. En manière de boutade, elle me disait parfois : « Je t'ai épousé parce que tu es compagnon de la Libération. » Pour elle, les compagnons représentaient le dessus du panier, une phalange de types exceptionnels auxquels elle ne trouvait pas l'ombre d'un défaut, ce qui relevait du parti-pris.

Mais elle était ainsi : on est tout bon ou tout mauvais, c'est blanc ou c'est noir, c'est beau ou c'est tarte. Elle ne supportait ni la demi-mesure, ni l'à-peu-près, ni la médiocrité, ni l'eau tiède. Mais comme l'honnêteté dominait son jugement et que la bonne foi inspirait ses convictions, elle se tenait prête à réviser une appréciation, au départ toujours péremptoire, si des faits nouveaux amendaient une impression hâtive. En revanche, quand elle se jugeait sûre de son bon droit, elle se révélait intraitable.

Je me souviens qu'un jour un agent de la circulation prétendit la verbaliser pour avoir grillé un feu rouge. Catherine conduisait admirablement et prudemment. Elle savait, en la circonstance, que le feu était passé à l'orange alors qu'elle se trouvait déjà engagée. Le code, dans ce cas, prescrit de continuer sa route, et non pas de stationner au beau milieu du carrefour. En conséquence, elle refusa de donner ses papiers. Le ton monta. Devant son obstination, l'agent appela une voiture de police et on embarqua ma Catherine dans le panier à salade. Embastillée en compagnie d'un voleur à la tire et de deux prostituées, elle ne céda à aucune pression, pas même celle du commissaire. « Foutez-moi en taule, si vous voulez, mais vous n'aurez pas mes papiers. Cependant, comme j'ai droit à un coup de téléphone, je vais le passer de chez vous. » Et elle appela, aux Buttes-Chaumont, Philippe Galardi son réalisateur, car, ce jour-là, elle devait enregistrer le programme du dimanche suivant, un programme qui l'avait rendue célèbre : « Sérieux s'abstenir. » Une heure plus tard, l'équipe au complet, Jean Amadou, Jacques Mailhot, Jean Bertho et Philippe Galardi en tête, déboulait dans le commissariat. Elle n'avait pas dit qui elle était ni quelle urgence l'appelait. On le découvrit et on la relâcha avec des excuses. En passant devant le flic qui l'avait arrêtée, elle lui dit : « Je suis sûre qu'au fond vous êtes un brave type. Mais je vous conseille de porter des lunettes. »

Une personnalité aussi fracassante ne peut manquer de se fourrer, à l'occasion, dans d'inextricables situations. À l'aéroport de New York, par exemple...

Nous venions de nous y marier. Pourquoi New York ? Parce que, à l'époque, j'étais directeur des programmes de télévision sur les deux chaînes du Service public et que Catherine était producteur. Il dépendait donc de moi qu'elle travaillât ou non –, problématique en l'occurrence absurde car son émission culminait dans les sondages. Toutefois, nous ne voulions, ni elle ni moi, que nos gains fussent additionnés. Nous avions donc deux domiciles distincts, deux téléphones, deux comptes en banque, deux déclarations d'impôts séparées. Ainsi, nul ne pourrait me suspecter de trouver quelque profit aux activités de Mme Catherine Anglade. J'étais également président de la Communauté des télévisions francophones et, cette année-là, j'avais décidé que notre session se tiendrait à Montréal. J'avais proposé à Catherine de m'accompagner, étant bien entendu que je payais son billet d'avion, moi, et pas l'ORTF – et assumais ses frais. La session achevée, je m'offris à lui faire visiter New York, à une heure de vol. Mais, à l'hôtel, et au vu de nos passeports, on se refusa à nous attribuer une chambre unique. (C'était *shoking* dans ce pays de toutes les vertus.) « Ah c'est comme ça ? s'exclama Catherine. Eh bien, on se marie demain ! Les Français n'en sauront rien mais ici au moins, on nous fichera la paix. »

Je téléphonai donc à Jacques Sallebert, le correspondant de l'ORTF aux États-Unis, et il nous arrangea ça en vingt-quatre heures. Je le priais, bien entendu, de ne pas faire transcrire l'acte par le consulat de France à New York. Trois jours plus tard, nous prenions la route du retour. Je me présentais à l'aéroport avec une valise bourrée des documents de travail de la Communauté, et la balance affichait un excédent de bagages de dix kilos. Le préposé refusa de nous délivrer nos cartes d'embarquement :

« Allégez-vous de dix kilos, s'il vous plaît.

– De quoi ! s'écria Catherine. Et cette bonne femme, derrière moi qui pèse au moins cent kilos ?

Vous allez lui demander d'en perdre trente avant le départ ? (Je traduisais les questions et les réponses.)

– Ce sont les bagages qu'on pèse, pas les personnes.

– Complètement idiot ! Dans l'avion, le poids de chaque passager, c'est lui, plus ses bagages ! Moi je pèse soixante-deux kilos. Si cette femme a le droit de partir, j'ai droit, moi, à la différence entre son poids et le mien : trente-huit kilos.

– On ne s'occupe que des bagages, je vous l'ai déjà dit !

– Très bien. Je vais me coller sur le dos toutes mes robes et tous mes manteaux. Ça fera dix kilos de moins, avec les poches pleines.

– C'est défendu.

– Alors votre règlement est aussi con que vous. » (Cela, je ne le traduisis pas.)

En désespoir de cause, il fallut quérir le directeur de l'aéroport en personne. Nos titres durent l'impressionner, mais plus encore la détermination de cette furie de Française. Il nous fit délivrer nos cartes, et tous nos bagages suivirent, sans problème.

Des coups comme ça, elle m'en a fait souvent. Mais j'étais toujours de son côté, quitte à tenter de modérer l'expression d'un langage assez volontiers abrupt et fleuri. Dans les coups durs, notre solidarité se révélait sans faille. Même lorsqu'un promoteur nous offrit très cher pour boucher un jour de souffrance, dans le salon. Catherine l'informa poliment que le soleil qui lui arrivait par cette fenêtre n'avait pas de prix. Elle tint bon, gagna le procès, et le promoteur dut reculer son immeuble de douze mètres.

Sa rectitude morale était aussi proverbiale. Pour ses émissions à sketches, elle faisait appel à des auteurs. Les nouveaux engagés ne manquaient jamais de lui demander quel pourcentage elle prélèverait sur leurs droits d'auteur, en vertu d'une pseudo-collaboration, et comme, hélas, c'était l'usage. Elle s'indignait :

« Moi je suis payée pour produire, et ça me suffit. Vous, vous êtes payé pour écrire, et tout ce qui vous est dû vous appartient intégralement. Il est scandaleux qu'il puisse en être autrement ! »

Avec les chanteurs qui s'intercalaient entre deux sketches, elle n'était pas moins stricte. C'est elle, et personne d'autre, qui choisissait les chansons. L'une des plus grandes vedettes du moment ayant exigé de passer, à titre de promotion, une chanson – fort médiocre – de son dernier disque, elle l'avait virée du plateau et sur-le-champ remplacée !

Inutile de dire que ce comportement avait ma totale approbation.

Nous nous trouvions tout aussi synchrones en politique. Elle admirait Charles de Gaulle à un point qui frisait l'adulation – son père avait fait partie d'un réseau et elle-même était la plus jeune médaillée de la Résistance – et je ne pouvais de mon côté dissimuler que quatorze années passées auprès de lui m'inspiraient des sentiments analogues.

Sur quoi portaient donc nos désaccords ? J'aurais du mal à le dire... En matière alimentaire, peut-être ? Elle était plus « sucrée » que « salée », et moi, c'était le contraire. Cela ne nous empêchait pas de nous offrir des petites sorties gastronomiques d'où nous sortions euphoriques l'un et l'autre.

Cette profonde connivence de tous les instants et sur tous les sujets expliquait en grande partie pourquoi nous nous étions si vite et si facilement retrouvés. Ce n'est probablement pas donné à tout le monde.

« ... Mais tout le monde peut essayer. »

Il arrivait souvent qu'elle répondît à des questions informulées ou accrochât au vol une pensée qui me traversait l'esprit.

« On se retrouve dans ta caboche, mon Philippe. Ne l'oublie pas !

– Je ne pourrai jamais entendre ta voix ?

– Non, je ne le pense pas. Il ne faut pas attendre de miracles, ça, ce n'est pas mon rayon. Mais ce qui nous arrive, c'est déjà pas mal, non ? »

Je devais en convenir.

J'ai toujours aimé faire les courses avec Catherine. Une fois par semaine, nous allions au « Carrefour » d'Ivry pour y faire ce que nous appelions « un grand marché ». Or, pour les gens qui habitent l'Est parisien cette grande surface est la plus facile d'accès. De plus, ce magasin gigantesque comporte, en sous-sol, un parking spacieux et un escalier roulant pour monter et descendre les Caddie. Ça évite les fatigues. Ensemble nous choisissons les menus d'appoint, les produits de base, les vins et les alcools, la viande de boucherie. Nos goûts nous portaient vers les mêmes marques, sauf à propos des boîtes pour chats. Rituellement, nous tenions là un débat contradictoire. Pour le gros

144

Mimi et ses sept kilos, Catherine ne voulait entendre parler que des aliments bas de gamme, pauvres en protéines. Par expérience, je savais, moi, que les gosses ne feraient honneur qu'à certaines boîtes et bouderaient les autres. Ça finissait par un compromis : un peu des unes et un peu des autres.

En revanche, lorsque j'accompagnais Catherine dans la boutique à fringues, il m'arrivait de piaffer au bout d'un moment. Catherine n'achète rien sans avoir comparé, soupesé, réfléchi et, le cas échéant, consulté les copines.

« Toi, oursette, tu achètes n'importe quoi à n'importe quel prix pour te débarrasser de la corvée. Tu devrais savoir que les économies, on se les construit franc par franc. »

Quand elle sentait l'impatience me gagner, elle me disait gentiment :

« Va donc m'attendre dans le café d'en face. Tu pourras y fumer ta pipe, et moi je me sentirai moins nerveuse. »

Je n'ai pu retourner au « Carrefour » d'Ivry que fin septembre, après que je fus assuré qu'elle m'y accompagnerait comme avant. Toutefois, même habité par cette certitude, ce n'est pas sans mélancolie que j'ai parcouru ces rayons où nous prenions plaisir à arbitrer nos préférences.

Il en allait de même dans ces maisons amies que, jadis, nous fréquentions toujours ensemble. Mais la chaleur, la simplicité et la bonne humeur de l'accueil finissaient par chasser les idées noires, d'autant que, bien souvent, et avec une délicatesse de sentiments qui me touchait, ils me ménageaient ce dérivatif que constitue la présence de gens que l'on ne connaît pas.

C'était le cas, ce soir-là, chez Marianne et Bernard Chesnais. D'emblée, j'avais sympathisé avec Michèle et Jean Ducroux. Nous nous étions trouvé beaucoup de points et de goûts communs et nous nous étions promis de nous revoir.

Ce furent eux qui en prirent l'initiative en m'invitant, un samedi soir, avec Marianne et Bernard. Ma bonne éducation ne me permet pas d'arriver les mains vides, surtout lorsqu'il s'agit d'une première invitation. Sur un plan de Paris, j'avais repéré qu'entre chez nous et la petite rue Nicolas-Chuquet, où je n'avais jamais mis les pieds, l'itinéraire me faisait passer devant « Monceau Fleurs », boulevard Malesherbes. Pas de chance ! Ce soir-là, « Monceau Fleurs » était fermé.

Je savais Catherine assise à côté de moi et partageant ma déconvenue. Je m'étais arrêté, en double file, une minute ou deux, pour tenter de retrouver dans mes souvenirs, mais sans succès, l'adresse d'une autre boutique. Au moment où je démarrais, Catherine me dit :

« Ne t'inquiète pas. Il y a un fleuriste ouvert au coin de la rue, tout à côté de chez eux.

– Comment le sais-tu ? Nous ne sommes jamais allés dans ce coin du XVIIe !

– Roule. »

Je me garai boulevard Pereire. La première rue à droite était la rue Nicolas-Chuquet et, juste au coin, tout près du numéro 5, il y avait un fleuriste ouvert...

J'y fis mes achats et complimentai l'aimable personne qui m'avait servi :

« C'est bien agréable de trouver un fleuriste ouvert si tard !

– Vous avez de la chance ! D'habitude à cette heure-ci, nous sommes fermés. Je ne sais pas ce qui m'a retardée.

– Moi je sais, madame. »

Elle ne comprit pas, naturellement, mais elle me sourit de confiance.

Le soir, rentré chez moi j'interviewai Catherine :

« La fleuriste, c'était un "signe" ?

– Non, pas du tout. Simplement je suis allée voir. Il ne me faut pas longtemps, comme tu sais.

– Et tu t'es pointée tout droit rue Nicolas-Chuquet ?

– Tu sais bien que je connais les rues de Paris mieux qu'un chauffeur de taxi... »

C'était vrai : comme agent de liaison de la Résistance, elle avait sillonné la capitale en tous sens, et en vélo. Pas de meilleure façon de repérer le nom des rues et la topographie d'un arrondissement. Elle situait avec précision la moindre venelle et ses itinéraires, d'un point à un autre, faisaient mon admiration car elle ne se trompait jamais.

Grâce à quoi j'étais arrivé, chez les Ducroux, avec une plante exotique dont j'ai oublié le nom barbare.

En toute circonstance, je fais mon possible pour m'assurer que tel message, qui m'était parvenu, ou tel fait apparemment inexplicable peut lui être objectivement attribué et n'est pas le produit de mon imagination ou du hasard. Ce n'est pas toujours facile... Sur sa présence périodique, je n'ai plus aucun doute. Et comment pourrais-je en avoir ? Mais, malgré mes efforts pour me vider le cerveau dès qu'elle me parle, il est possible et même vraisemblable que mes pensées et mes mots polluent, parfois encore, les siens car certains jours la communication passe moins bien.

Par exemple, je me pose encore des questions à propos d'un petit événement qui eut pour cadre la penderie...

J'y rangeai, ce jour-là, quelques complets qui sortaient de chez le teinturier et, soudain, je la sentis très nettement à mes côtés ; là-dessus, je n'avais pas le moindre doute. Je la taquinai :

« Ah, tu es là ?... Tu veilles à ce que je range correctement mes complets sur les cintres, c'est ça ? »

Je sentis qu'elle souriait et qu'elle se pressait contre moi, tendrement, sans que, pour autant, j'en perçoive la sensation. Et voilà que Lulu vint nous rejoindre...

Ce petit chat n'est en aucune façon démonstratif, sauf à l'égard de Gros-Mimi, son dieu, l'amour de sa vie. Nous, il nous supporte. Mais jamais un câlin, une tendresse, une sieste sur les genoux. Je ne l'ai jamais non plus entendu ronronner. Quand on le caresse, il incurve le dos comme pour chasser cette main qui le dérange, et, si on le prend dans ses bras, il s'agite comme un ver coupé jusqu'à ce qu'on le repose à terre. Alors, que se passait-il ?... Car il s'était approché, avait levé vers moi ses beaux yeux d'or, et le voilà qui se frottait contre moi, tournait dans mes jambes –, en bref, comme disent les amoureux des chats, « faisait des huit... »

Les chats ont un sixième sens, tout le monde le sait. Ils perçoivent des choses qui nous échappent, se précipitent à la porte pour nous accueillir à l'instant que l'on garait la bagnole très loin dans la rue ; ils peuvent – pour rentrer chez eux, faire huit cents kilomètres en pleine cambrousse et sans se tromper, ils flairent les orages et les tremblements de terre bien avant nous. Je pense donc, sans pouvoir l'affirmer, que Lulu avait senti la présence de Catherine ; et c'est autour d'elle qu'il virevoltait, c'est vers elle que se portait son regard. Et même – ô miracle ! – il ronronnait !... Je me suis alors souvenu que lorsque Catherine souffrait d'une insomnie et émigrait au salon pour ne pas me déranger, lire ou regarder la télé, Lulu quittait notre lit, me laissant seul avec Mimi, la rejoignait et, jusqu'au matin, se couchait à ses pieds sur le canapé qu'elle s'était choisi.

Nous en avions conclu que Lulu l'aimait aussi, à sa manière très « british », et sans vouloir le manifester autrement que par cette présence, près d'elle, la nuit, dans ce grand salon silencieux et sombre.

Il est resté longtemps avec nous dans cette penderie, tendre comme il ne l'avait jamais été. Si je ne m'étais pas trompé, Catherine devait être émue aux larmes...

Et puis, entre elle et moi, il y a, de loin en loin, les petites brouilles. Passagères, oh très passagères !...

149

Ce soir-là, je me sentais abandonné. À aucun moment, depuis le matin, je ne l'avais entendue me lancer : « Bonjour, le tintouin ! Tu as bien dormi ? » ou « Que fais-tu pour le déjeuner ? »

Vers 19 heures, je branchai la télé sur France 3 pour écouter les informations. Et, avant de m'installer, je laissai échapper un reproche :

« Quand même, aujourd'hui tu ne t'es guère occupée de moi... »

La réponse m'arriva dans la seconde :

« Tu ne m'as pas non plus beaucoup cherchée... »

J'éteignis le récepteur car ce que nous avions à nous dire était plus important que les ratiocinations du journaliste de service.

« Je ne t'ai pas beaucoup cherchée, dis-tu ? Explique.

– Je ne peux pas être avec toi tout le temps, tu le sais bien. Parfois je viens spontanément, pour voir où tu en es, faire un tour chez nous, caresser les chats du regard. Mais, le plus souvent, je te rejoins quand tu en as besoin, quand tu m'appelles, quand tu as envie de me parler. Aujourd'hui, rien... Souviens-toi de nos conventions, avant que je ne passe de l'autre côté. Pour se retrouver, il faut le vouloir, toi comme moi, ensemble. Il y a un effort à faire, comprends-tu ? Rien n'est donné, tout est mérité, là où je suis désormais et là où tu es encore. »

Je n'aurais garde d'oublier la leçon.

Un soir que nous devisions paisiblement face aux étoiles, à Gordes, les chats dormant d'un œil sur les sièges voisins, je lui avais demandé s'il se pourrait que je la voie, un jour, ne serait-ce que quelques secondes, même de loin, même un peu embrumée, – ou rien qu'un regard et un sourire, par exemple ? Elle m'avait répondu :

« Ça, oursette, c'est pas dans mes cordes.

– C'est arrivé, pourtant. Pour d'autres que nous... »

J'avais déjeuné, la semaine d'avant, avec un mien cousin, dominicain de son état, et de passage à l'abbaye de Sénanque. Comme bien l'on pense, nous avions beaucoup parlé de l'« Au-delà » sur lequel il en savait plus que moi. Il m'avait en particulier relaté une intervention très surprenante de sainte Thérèse de Lisieux, un an après sa mort...

Une jeune femme qui avait établi, avec Thérèse, la communication, se trouvait à la veille d'être licenciée par son entreprise. Elle s'en était ouverte à Thérèse, qui lui avait promis son aide. Le lundi suivant, la jeune femme en question fut convoquée par son directeur du personnel, qui lui dit :

« Il n'était pas nécessaire de m'envoyer votre amie pour plaider en votre faveur. Nous connaissons vos qualités. D'ailleurs, nous avons décidé de vous garder.

– Mais je ne vous ai envoyé personne !

– Voyons, je ne suis pas fou... Une jeune femme est venue, vendredi soir, me supplier de vous garder. Avec de très bons arguments, du reste. »

Saisie d'une brusque inspiration, la rescapée sortit de son sac une photographie de Thérèse de Lisieux et la tendit au directeur :

– « C'était cette femme-là ? »

Le directeur y jetta un coup d'œil :

« Absolument. C'est bien elle.

– Mais, monsieur, elle est morte il y a plus d'un an...

– Ne dites pas de bêtises. Même l'huissier l'a vue sortir. »

Et il appela l'huissier :

« Approchez, Machard. Vendredi dernier vers 18 h 30, vous m'avez vu reconduire à la porte une jeune femme, n'est-ce pas ? »

L'huissier se troubla :

« Vous êtes bien sorti du bureau, monsieur le directeur, c'est vrai... Vous parliez même tout seul, excusez-moi... Mais..., vous étiez seul. »

Cette histoire vraie – en tout cas, mon cousin le dominicain l'affirmait –, je l'avais rapportée à Catherine.

« Oui, me dit-elle. Nous pouvons, très très exceptionnellement, prendre une apparence humaine. Mais, d'une part, je ne suis pas sainte Thérèse qui avait ici ses petites et ses grandes entrées, et, d'autre part, il ne m'appartient pas d'en décider.

– Et si tu le demandais ? »

Je perçus très clairement son rire, inimitable. Elle reprit vite son sérieux :

« Tu te fais, du monde où je vis, des idées de terrien. Prends les choses telles qu'elles sont et comme elles viennent, mon bonhomme, et sans chercher à entrer dans l'incommunicable. »

Dès que je la branchais sur ce sujet, elle se fermait comme huître, et l'entretien tournait court. Lui était-il interdit d'en parler ? Ou avait-elle choisi de n'en point parler ?...

En diverses circonstances, j'avais cherché à en

savoir davantage sur cette « autre vie », cet infini mystérieux devenu son domaine. Sa réponse serait du « pur Catherine », brut de fonderie :

« Écoute, oursette, si je disposais de mots pour te permettre d'entrevoir, et peut-être comprendre, ce qu'est cet autre côté de la vie, et où je suis, et qui m'entoure, et à quoi je consacre ce bref laps de temps que tu appelles une journée, tu n'aurais plus qu'à prendre l'avion pour Rome, filer au Vatican et dire à Jean-Paul II : "Ôtez-vous de là que je m'y mette. Moi je sais tout, et je vais tout expliquer." Tu pourrais d'ailleurs tenir le même langage au grand rabbin, au grand muphti, à l'archevêque de Canterbury et au patriarche de l'Église orthodoxe. Le successeur de saint Pierre, d'Abraham, de Mahomet et de Confucius, ce serait Philippe Ragueneau en personne... Un mur, vois-tu, est inévitable et nécessaire entre notre univers et le vôtre, et ne m'en demande pas les raisons, bien que tu puisses les deviner. »

Je me le tiendrais pour dit.

Petit à petit, nous entrions dans les habitudes.

Chaque matin, j'attendais d'avoir avalé mon café, histoire de me remettre les idées au net, avant de l'inviter à me rejoindre sur l'autre fauteuil de la cuisine.

« Cette nuit, tu as mieux dormi », me disait-elle. (Depuis ma chute, à Gordes, je souffrais d'une cruralgie baladeuse dont je ne parvenais pas à me débarrasser et qui m'empoisonnait l'existence.)

« Oui, c'est vrai. Et toi, ma chérie ?

153

– T'es foufou, toi. Tu sais bien que je n'ai plus besoin de dormir. »

Je devinais qu'elle tournait vers moi son beau visage et qu'elle me souriait. Et elle ajoutait :

« Tu m'as bien soignée. »

Ça me faisait rire car, cette phrase, elle me l'avait bien sortie dix fois, au beau milieu d'un discours, sans raison.

« Pourquoi me dis-tu cela si souvent ?

– Parce que je ne te l'ai pas dit assez avant. Je ne me rendais compte de rien. Maintenant et ici, j'ai appris et compris beaucoup de choses. Alors je te dis : tu m'as bien soignée, voilà.

– Tu es mignonne.

– Oui je suis mignonne. Et toi, tu as encore brûlé ton pyjama tout neuf. » (Je dois confesser que, souvent, des escarbilles échappées de ma pipe atterrissaient sur un devant de chemise, une robe de chambre, une serviette. Elle s'en apercevait toujours avant moi.)

Je m'étonnais, parfois, qu'elle eût à ce point l'œil partout.

« Réfléchis, me disait-elle. Si je te vois, je vois aussi tout ce qui t'entoure, non ?... Tu m'as dit hier que tu ne voulais plus voyager parce que tu n'aurais aucun plaisir à voir, seul, d'autres pays, d'autres têtes. Mais si je t'accompagne – et sois sûr que je t'accompagnerai –, je verrai aussi tout ce que tu vois.

– Ce ne sera pas la même chose... Tu ne seras pas là tout le temps, d'abord. Tu as tellement à faire ! Et puis je ne te verrai pas t'émerveiller devant un tableau, un objet, un monument. Tu ne prendras pas mon bras pour traverser la rue. Tu ne goûteras pas avec moi aux spécialités locales de ce restaurant réputé. Tu me quitteras dès que je serai couché dans ma chambre d'hôtel. Non, ce ne sera pas la même chose.

– Nous en reparlerons. Ce matin t'es mal vissé.

– Je vais faire des courses. Tu m'accompagnes ?

– Bien sûr. Ne serait-ce que pour t'empêcher d'acheter des conneries. Tu adores gaspiller ton argent, mon tintouin.

– Ce n'est pas vrai. Je fais très attention.

– C'est nouveau... »

Dans la rue, au tout début, je lui parlais à voix haute. Les gens, parfois, se retournaient sur nous, hochaient la tête ou souriaient. À présent, je lui parlais mentalement, le plus souvent. Du même coup, je me sentais comme « habité ». Étrange sensation...

Dans les moments de solitude – et il y en avait, forcément, très souvent – je m'évadais mentalement sur les routes que nous avions sillonnées ensemble...

En avions-nous fait, des kilomètres ! Avant que le chat Moune n'entrât dans notre vie, pour notre plus grand bonheur, nous « faisions » la France par les départementales. Ce sont des routes où l'on voit ce que l'on traverse : les villages typiques – colombages d'Alsace, toits pentus de la Bourgogne, lauzes des Cévennes, murs chaulés de Bretagne, briques du Nord, mais aussi les grandes fermes accroupies dans leur luzerne, les torrents à truites, les sous-bois bruissants d'oiseaux, les bonnes gens pas pressés... Lorsque nous partions en vacances, et quelle que fût la destination, nous quittions Paris par la nationale la moins fréquentée et, dès que possible, on enquillait la première départementale venue.

« Et voilà ! lançait joyeusement Catherine, nous sommes en vacances ! »

Pour elle, les vacances commençaient dès que l'herbe remplaçait le béton et les trilles des rossignols, le grondement des moteurs. Elle avait, du reste, la phobie des embouteillages. Quand la compagnie des chats nous contraignit aux trajets courts car les chers petits s'agitaient et ronchonnaient au-delà d'un certain kilométrage, nous fûmes condamnés, comme tout le monde, aux autoroutes moutonnières. Les retours sur Paris, en particulier, la mettaient en transes à partir de Nemours. Claustrophobe de naissance, les bouchons la paniquaient :

« J'étouffe ! Sortons de là, oursette !

– Mais, chérie, nous sommes tous à l'arrêt, pare-chocs contre pare-chocs, et la première bretelle est encore loin ! Je ne peux rien faire, je ne peux pas avancer...

– Passe-moi le volant, tu vas voir ! »

Comme nous sommes minces, l'un et l'autre, l'échange de sièges se faisait sans trop de contorsions. Et c'était parti !

J'ai déjà dit qu'elle conduisait superbement, ce qui n'empêchait pas qu'elle flanquât le vertige à un pilote de formule 1. Là où moi (ni personne de normalement constitué) n'avançait d'un pouce, elle trouvait le moyen de déboîter, de se glisser entre deux files de voitures (une feuille de papier à cigarettes séparait les carrosseries), de se détacher habilement du flot et d'atteindre la bande d'arrêts d'urgence.

« Hé ! Tu sais que c'est interdit de rouler là-dessus ? C'est réservé aux accidentés !

– Je m'en fous ! Les embouteillages, ça me rend folle !... Qu'est-ce qu'il fait, ce connard ? S'il veut m'imiter, qu'il avance au moins ! Je vais le pousser au cul, tu vas voir ! »

Catherine, au volant, usait volontiers d'un langage imagé, cru et fleuri.

« Que tu es grossière !

– Je suis grossière mais jamais vulgaire.

– C'est quoi, la différence ?

– Merde, c'est grossier. Mince, c'est vulgaire. »

Sur quoi pied au plancher, elle enfilait une sortie vers quelque banlieue lointaine et, brusquement, nous entrions dans le monde du silence.

« Où est-on ?

– Viry-Châtillon, je crois bien.

– Si je ne me trompe pas, à Juvisy, on peut rejoindre la nationale 7.

– Merci bien ! On sort d'en prendre ! Tâche plutôt de repérer le panneau pour Villeneuve. »

On traversait des banlieues endormies où seuls les chiens, dans les jardins, donnaient de la voix. On se perdait dans des rues pauvrement éclairées, on tournait parfois en rond, on scrutait, aux carrefours, des plaques en hébreu, mais, quand même, on finissait par atterrir rue Villehardouin. Nous avions certainement mis beaucoup plus de temps que si nous étions restés sur l'A6, nonobstant les bouchons.

« Oui, en convenait Catherine, mais, au moins, on n'a pas été emmerdés. »

S'emmerder était une autre de ses hantises. Elle me disait souvent :

« Tu m'agaces quelquefois, tu brûles tes chemises, tes cendriers puent, tu perds tes clés mais avec toi, le tintouin, je ne me suis pas ennuyée une seconde en trente ans. C'est plus important que tout le reste. »

J'en étais bien d'accord.

Elle éprouvait tristesse et compassion au spectacle de ces couples, qui, apparemment, n'avaient plus rien à se dire, plus rien à partager...

Nous en rencontrions au restaurant, quand nous nous offrions une petite fête. Nous, nous bavardions comme des pies, nous échangions boutades et plaisanteries, on riait, on était heureux d'être ensemble et de déguster ensemble des préparations subtiles ou raffinées. À la table voisine, un couple morose picorait dans son assiette sans se regarder jamais.

« Tu as remarqué ? me disait-elle. Des hors-d'œuvre au dessert ils n'ont pas échangé un seul mot... »

Oui en vérité, nous nous sommes bien amusés...

Le matin, mon café avalé et dès qu'elle m'a rejoint, nous refaisons, par la pensée, un petit voyage ; nous nous remémorons une rencontre, un incident cocasse, un bon moment. Et ce n'est pas la matière première qui nous manque !

« Te souviens-tu de cette empoignade, au Franprix d'Apt ?... »

Nous y avions fait un gros marché en prévision

de la venue de quelques amis, et pendant que les clients qui nous précédaient réglaient leurs emplettes, nous avions empilé les nôtres sur le tapis roulant de l'une des dix caisses, et il y en avait !

Lorsque vint notre tour, la caissière nous annonça d'une voix suave :

« Ici c'est une caisse pour cinq articles seulement. »

Catherine explosa :

« Et vous ne pouviez pas nous le dire avant que nous sortions tout du Caddie ? Vous nous avez vu faire, quand même !

– Vous n'aviez qu'à lire ce qui est affiché. »

Ma plume s'interdit de transcrire les noms d'oiseaux dont Catherine affubla cette péronnelle. Elle ne les avait pas volés, mais je dois dire que la richesse du vocabulaire argotique de ma bonne femme laissa muets d'admiration les clients qui nous suivaient. Je crus même, un moment, qu'ils allaient prendre des notes.

À propos de marché, il était temps que je m'occupe du mien...

Ma fille Sylvie venait de rentrer d'un long séjour à l'étranger. Comme elle avait rendu les clés de son studio pour ne pas payer un loyer inutilement, je l'hébergeais depuis dix jours, ce qui appelait des menus plus élaborés. Jusqu'ici, une cruralgie tenace et douloureuse m'avait amené à lui laisser faire de petits achats dans le quartier, mais nous commencions à manquer de tout. Je me sentais mieux, et je lui avais proposé d'aller remplir deux Caddie au Carrefour d'Ivry.

Sur le chemin du retour, elle m'informa qu'elle ne me laisserait pas monter un seul sac à notre deuxième étage sans ascenseur.

« Je prendrai les plus légers, ne t'inquiète pas.

– Non, papa. Rien. Ton nerf crural te taquine moins, ce matin. Ce n'est pas le moment de le réveiller.

– Bon, on verra. »

Devant la maison, je m'arrêtai en double file et nous sortîmes du coffre (elle, surtout) une montagne de caisses et de paquets, que l'on entassa dans le hall.

« Je vais mettre la voiture au parking et je reviens t'aider. »

Je repris donc le volant et empruntai la rue Saint-Gilles et la rue de Turenne pour gagner la rue des Minimes (dans ce quartier, les voies à sens unique nous font faire des kilomètres.) Pas de chance ! La rue des Minimes était en travaux. Interdite. Une seule solution : gagner la place des Vosges et la rue des Tournelles, pour revenir rue Saint-Gilles. Tout en roulant, il me sembla que Catherine voulait me dire quelque chose, et, distraitement, je dépassais le garage souterrain pour me retrouver bêtement au point de départ. Je refis donc, en pestant, un deuxième tour. Mais, cette fois, c'était un camion de livraison qui bloquait la rue des Tournelles...

« J'en ai pour trois minutes ! » me lança le gars qui déchargeait ses caisses de bière. D'habitude, quand pareille chose m'arrive, je descend et j'aide le livreur à vider son chargement, et tout le monde est content : le type, parce qu'il a gagné du temps,

160

et les automobilistes qui sont derrière lui pour la même raison. Mais, cette fois, ma cruralgie me l'interdisait.

Il finit tout de même par démarrer et je finis, moi, par gagner la maison. Le hall était vide. Sylvie avait monté tous nos achats. Cela me contrariait :

« Je suis désolé de t'avoir tout laissé faire ! » Et je lui contai mes déboires.

Elle éclata de rire :

« Figure-toi que lorsque tu m'as quittée pour aller au parking, j'ai demandé à Catherine : "Débrouille-toi, s'il te plaît, pour qu'il soit retardé." »

Les deux complices avaient réussi leur coup. Du travail cousu main.

Le soir même, alors que je prenais mon bain, elle ajouterait un commentaire en forme de reproche :

« Sylvie a raison : tu n'es pas raisonnable. Comment veux-tu que ta cruralgie s'arrange si tu t'obstines à porter des sacs de dix kilos à chaque bras ? Fais-toi livrer, voyons ! C'est tellement simple !... »

Ma santé avait toujours été, pour elle, source d'angoisse. L'inverse était d'ailleurs vrai. En fait, la seule santé qui nous souciait, c'était celle de l'autre. Mais si elle me jugeait, à cet égard, insouciant, imprudent et déraisonnable, elle ne se préoccupait elle-même des petits et grands méfaits de l'âge que lorsqu'il devenait impossible de les ignorer. Par exemple, elle souffrait de rhumatismes articulaires qui lui déformaient les doigts et qui la mettaient au désespoir car elle, qui adorait coudre, broder, inventer des patchworks, couper et bâtir une robe, et tricoter, pouvait à peine, désormais, enfiler une aiguille pour recoudre un bouton. Petite parenthèse : quand jadis je voulais lui faire un petit plaisir pas cher, j'allais à la FNAC lui acheter un bel ouvrage consacré à ce que nos grands-mères appelaient des « travaux de dames ». Elle était aux anges et se lançait aussitôt dans une création du plus haut niveau. « Mes parents m'ont mal orientée, disait-elle. J'aurais dû être créatrice de costumes, comme Claude Barré, ou "grand couturier". » J'ajoutais :

« ... Ou architecte. Ou décoratrice d'intérieur. Ou charpentier. Ou ébéniste... Tu sais tout faire.

– Oui. Charpentier ou ébéniste, ça m'aurait bien plu. »

En attendant, quand je lui suggérais de se faire rafistoler les articulations, elle me répondait :

« On ne peut pas arranger ça sauf en bloquant toutes les premières phalanges. Ça ne sera pas mieux. »

Un peu plus tard, une double coxarthrose l'handicapa un peu plus. Chaque pas lui arrachait un cri. Et puis les rhumatismes gagnèrent les épaules. Si bien que, à la quasi-impossibilité de faire travailler ses doigts, s'ajouta la totale impossibilité de construire à Gordes, des murs en pierres sèches, une autre de ses passions. Elle m'avait dit un jour :

« Si je ne peux plus rien faire de mes mains, si je ne peux plus marcher et courir comme tout le monde, si je ne peux plus bouger une pierre, élaguer un arbre et me baisser pour cueillir une fleur, alors je préfère me flinguer tout de suite. »

Je repensais à tout cela tout en barbotant dans mon bain. Mais c'est elle qui reprit le fil de la conversation :

« Tu vois, mon Philippe, on s'insurge tous à l'idée de mourir demain. Mais je sais maintenant qu'il n'y a aucune erreur dans les programmations. J'ai quitté ma vie d'autrefois juste avant qu'elle ne me devienne totalement insupportable.

– Ça pouvait s'arranger ! Tu te serais fait opérer de ton arthrose, nous aurions fait à Dax une cure ou deux...

– Et qui te dit que notre couple aurait résisté à ces emmerdements ? Quand on souffre tout le temps, on devient irritable. Quand on se sent inutile, on devient injuste. Quand le miroir vous renvoie un visage vieilli et fané alors qu'on était belle, on devient méchant. Est-ce que je n'étais pas de plus en plus souvent irritable ?... Et parfois injuste ?... Sois honnête...

– N'exagérons rien. Un petit mouvement d'humeur, de loin en loin, qui n'en a pas, moi le premier ? On s'entendait bien, non ?

– Oui, on s'entendait bien. Mais pour combien de temps ?... Je me déglinguais... Je ne pouvais plus rien faire... Quand ça s'arrangeait d'un côté, ça se détraquait d'un autre. Et le cancer m'est tombé dessus ! J'aurais préféré un infarctus foudroyant, remarque bien, mais il faut croire que j'avais encore quelques petites choses à me faire pardonner.

– Au plus fort de ta maladie, tu m'as dit – ce devait être à la mi-mai : « Qu'est-ce que je paie ? » C'est ce que tu veux dire ?

163

— Oui. Et c'est peut-être parce que j'ai payé, justement, que je suis entrée de plain-pied dans un éblouissant bonheur. Car je suis heureuse, mon bonhomme ! Immensément heureuse !

— Tu m'as pourtant dit souvent que tu ne croyais ni à l'enfer ni au purgatoire ? »

(Silence. Dès que j'abordais ce genre de sujet, elle se murait dans le silence. Peut-être n'ai-je pas le droit de savoir ? Ou la capacité de savoir ?...)

« Si je comprends bien, tu estimes que tu es passée de l'autre côté de la vie au meilleur moment qui soit ?

— Oui. Absolument. Nous avons vécu trente-trois ans d'un bonheur partagé. Tu te rends compte ! Et rien que des petits nuages... De tout petits nuages... Il ne fallait pas abîmer cela et, Dieu merci, ça ne l'a pas été.

— Et cependant, à la mi-mai, tu t'étais insurgée !

— On se révolte contre tout ce qui échappe à notre compréhension et nous est imposé. On remercie quand on comprend et qu'on accepte. »

Mon bain était froid.

C'était la plus longue conversation que nous ayons jamais eue. Comme je ne voulais rien en oublier, j'enfilai un peignoir et je courus à mon bureau pour transcrire fidèlement tout ce que nous nous étions dit. Peut-être ai-je un peu modifié la construction d'une ou deux phrases, mais c'est tout.

Cette nuit-là me reçut dans un état de sérénité qui n'était plus très loin du bonheur.

III

Le jour suivant me vit debout plus tôt qu'à l'accoutumée et animé d'intentions dynamiques. Ce livre, que Catherine me réclamait, il fallait qu'il avance ! Mes notes s'accumulaient, dans un désordre croissant, et elle me pressait de les mettre en forme. Or je n'avais jusqu'ici accouché que d'une cinquantaine de pages manuscrites, ce qui me mettait loin du compte. Cette modeste amorce, je l'avais adressée à trois amies et un ami, bien résolu à tout laisser tomber si leur opinion m'arrivait mitigée.

Mais leurs réactions ne m'offraient aucune échappatoire : « Il faut continuer ! – Ce récit vous paraît-il crédible et convaincant ? – Oui, absolument. – Rien ne vous fait sourire ou hocher la tête ? Rien ne vous fait douter de ma bonne santé intellectuelle ?... – Non. Rien. Il faut continuer. »

Je n'avais plus qu'à m'y mettre.

Catherine pavoisait : « Tu vois bien ! » Je savais qu'elle serait, comme jadis, un critique sévère. Les reproches qu'elle avait adressés à certains de mes dix-sept ouvrages publiés tenaient à ce qu'elle appelait : « ta facilité. » – « Tu écris sans souffrances. Les phrases coulent de ta plume comme l'eau du

165

robinet. Robert Beauvais était pareil. Alors, bien sûr, votre prose est simple, claire, agréable et facile à lire. Mais on ne peut s'empêcher de se demander si le livre n'aurait pas été meilleur encore avec un peu plus de réflexion, plus de retouches, plus de travail. Pour ce bouquin-ci, je n'ai pas cette crainte, le risque est ailleurs... – Lequel est-ce ? – Que tu ne sois pas assez rigoureux, assez précis... Ce qui nous arrive est quand même rare. Ton récit va rencontrer beaucoup de sceptiques, beaucoup d'esprits forts. Tu ne dois consigner que ce dont tu es absolument certain ou qui peut être attesté par d'autres que toi. Quand on effleure les contours de l'"autre vie", ce qui, par mon truchement, est ton cas, il faut prendre garde à ne jamais basculer dans l'imaginaire. Souviens-toi de la photo, par exemple... »

Cet épisode s'était déroulé trois jours plus tôt. J'avais trouvé, dans un tiroir, une très bonne photo de Catherine, grand format, et, tout content, je me disposais à la placer sur la commode qui, dans la chambre, fait face à mon lit. J'avais senti Catherine réticente et je m'en inquiétai.

« J'aime que tu penses à moi. J'aime que tu m'appelles quand le spleen te gagne. Mais ne sois pas maso, quand même.

– Mais des photos de toi, il y en a dans le salon, dans la cuisine...

– Oui, mais celle-là, tu vas passer devant vingt fois dans la journée. Et, vingt fois, tu auras un petit pincement au cœur, ce qui est bien normal.

– Ne te fais pas de soucis, ma chérie. J'aime aussi me rappeler la belle femme que tu étais. »

166

Et j'avais adossé la photo contre le mur.

Dans la seconde, elle glissa entre le mur et le meuble, et mes efforts pour la repêcher s'avérèrent vains : mon bras était trop court pour l'atteindre. Là-dessus, le téléphone m'appela ailleurs. La communication terminée, je revins dans la chambre. J'étais convaincu que Catherine avait fait chuter le cliché et m'empêchait de le récupérer.

« Mais non, le tintouin, navrée de te décevoir. Je n'y suis pour rien. Tu l'avais mal calé et il est tombé tout seul. »

Si elle n'avait pas mis les choses au point, je me serais fourvoyé.

L'inverse se produirait le surlendemain. Josefa, notre soubrette, faisait le ménage dans le salon. J'étais, moi, dans la cuisine en train de lire mon journal. Tout à coup Josefa surgit, dans l'encadrement de la porte, très excitée :

« Monsieur !... Le bénitier !... »

(Face à une fenêtre, nous avons un grand bénitier de pierre posé sur une colonne, dont il n'est pas solidaire.)

« Quoi, le bénitier ?...

– Il a bougé !... Plusieurs fois !... C'est madame qui me disait bonjour, n'est-ce pas ?

– Sûrement, Josefa. Elle vous aimait beaucoup, vous le savez. »

Je n'avais pas voulu décevoir notre brave Josefa mais j'étais tout à fait certain que le léger balancement du bénitier, sur sa colonne, résultait tout bêtement du passage d'un poids lourd dans la rue.

Le soir, j'avais rapporté l'« événement » à Catherine, qui venait de me rejoindre :

« Elle était tout heureuse, Josefa ! D'après elle, tu
lui avais fait un petit signe d'amitié. Tu penses bien
que je ne lui ai pas dit le contraire.

– Et tu as bien fait... Parce que le bénitier, c'est
moi qui l'ai bougé. Josefa ne s'est pas trompée. »

Cette parenthèse refermée, j'en reviens au livre...
Catherine voyait juste. Je ne pourrais le terminer
qu'en m'imposant une discipline : quatre pages par
jour, au minimum, qu'il vente ou qu'il pleuve. Et je
m'y attelai sans attendre.

Vers 11 heures, j'allai chercher chapeau et man-
teau. Jacques Grancher, l'un de mes éditeurs,
m'avait donné rendez-vous à midi dans ses bureaux
du 98, rue de Vaugirard. Je lui apportais un *Clémenceau* que Guy Breton venait de me remettre
dans le cadre de la collection « Humour de... » dont
j'assume la direction sous la houlette de Michel, fils
de Jacques.

Je me pointai à l'heure dite. Nous examinâmes en
particulier les projets de couverture du manuscrit.
Aucun ne nous satisfaisait entièrement et nous étions
convenus de nous revoir prochainement à ce sujet.

En sortant de chez l'éditeur, je vis qu'il était près
de 13 heures. Rentrer chez moi ? Oui, pourquoi pas.
Mais ça me ferait déjeuner bien tard. Je me décidai
donc à dénicher, du côté de la gare Montparnasse,
un bistrot sympathique et pas cher, ce que je trouvai
sans peine. (Ce n'est pas cela qui manque, dans le
quartier.)

Alors que j'attaquais une entrecôte de belle apparence, pommes allumettes, Catherine vint s'asseoir en face de moi. Je ne m'y attendais pas du tout car, depuis le début du repas, je ruminais ce problème de couverture sans trouver de solution. Toutefois, cette invisible présence était tellement forte que j'en restai la bouche ouverte et la fourchette en l'air :

« Ça c'est gentil ! Dans pas longtemps, j'allais commencer à m'ennuyer.

— Encore des frites, le tintouin ? Tu sais bien que ça t'est défendu.

— Ne me gronde pas. J'en avais très envie. »

Je devinais qu'elle souriait avec indulgence. Et, puisqu'elle était là, je sollicitai son avis à propos de notre *Clémenceau*. Elle me promit d'y réfléchir.

« Je vais te quitter, mon petit chat. Je te laisse gamberger à ton problème. »

Je demandai l'addition, payai et me dirigeai vers la station de métro Montparnasse.

Sur le quai, j'eus une hésitation. Valait-il mieux rentrer direction Porte de Clignancourt ou changer à Concorde ? J'ai toujours sur moi un plan de métro. Je pris place sur un siège et je le sortis de mon portefeuille que je posais sur le siège voisin. De toute évidence, Clignancourt s'imposait. Je me levai donc et avançai sur le quai :

« Oursette ! »

L'appel sonnait comme une injonction, à tel point que je me retournai tout d'une pièce m'attendant presque à la voir derrière moi ! Alors je remarquai un jeune homme marchant dans ma direction, sans se presser. Il tenait quelque chose à la main et je crus reconnaître mon portefeuille. Je tâtais les poches intérieures de ma veste... Pas de doute, c'était bien ça ! J'allai vers lui et il me tendit l'objet :

« Il était sur un siège... C'est à vous ? »

J'acquiesçai et le remerciai.

« Ah si je n'étais pas là ! » murmura Catherine sur un ton de reproche amusé.

Oui, en effet. Si elle ne m'avait pas obligé à me retourner, ce jeune homme m'eût-il rendu mon portefeuille oublié sur un siège du métro Montparnasse ?... Pas sûr.

Dans la rame qui se dirigeait vers la porte de Clignancourt, Catherine m'avait accompagné :

« Pourquoi n'as-tu pas pris la voiture, oursette ?

— Parce que je craignais de ne pas pouvoir stationner sans récolter un PV.

— As-tu eu des problèmes, hier ?... »

Non, j'en convenais. Prié à dîner chez Francis et Odile Rey, une voiture, à mon arrivée, dégageait une place à ma mesure juste en face du 19, rue de la Trémoille. Un vrai coup de chance !

Catherine avait raison. J'aurais dû me souvenir que, depuis mon retour de Gordes, j'avais toujours trouvé à me garer là où je me rendais, au point que mes amis en faisaient une jaunisse :

« Tu as trouvé une place, dans ce quartier pourri ?

— Oui. Devant ta porte.

— Dis-moi que je rêve... »

J'avais naturellement demandé à Catherine si c'est à elle que je devais ces privilèges ou s'ils résultaient de bienheureux hasards :

« Non, le tintouin, je n'ai pas le pouvoir d'escamoter une bagnole pour que tu puisses te garer en père peinard. C'est beaucoup plus simple : je te guide vers des places vacantes que j'ai repérées avant toi, et quand il y en a, bien sûr : "Prends à droite", ou "Tourne à gauche", ou "Fais cent mètres de plus"... Tu ne perçois pas nécessairement le conseil que je te souffle mais il entre dans ton subconscient et tu vas là où je te conduis. »

Logique. Logique et rationnel. Toutefois, je me demandais si Catherine ne péchait pas, à l'occasion, par excès de modestie. Je gardais en effet en mémoire ce qui m'était arrivé trois semaines plus tôt...

Hélène et Morton Horwich m'avaient invité à dîner chez eux. (Ce sont de bons amis dont nous avons fait la connaissance à Gordes, où ils résident, l'été, dans une très belle propriété.) Je savais que nous serions nombreux, que ce serait du très beau monde, et Hélène m'avait demandé d'être précis – « 20 heures au plus tard, cher Philippe » – car deux ou trois de ses hôtes, fort avancés en âge, relevaient de la catégorie des « couche-tôt ».

Je sortis donc mon carrosse du garage à 19 heures car, un samedi, le parking de la rue François-Ier risquait d'être saturé.

Jusqu'à la rue de Rivoli, pas de problèmes majeurs. Mais, arrivé là !... Les voitures s'empilaient jusqu'à l'horizon, pare-chocs contre pare-chocs, et aucune ne bougeait d'un pouce. Je pris donc la décision de passer les ponts et de changer de rive. Calamitas ! Sur le quai de la Tournelle, le même spectacle affligeant

171

s'offrait aux regards. On ne passait pas, et le concert des avertisseurs n'y changeait rien. J'étais, comme les autres, englué dans une mélasse de carrosseries, et l'heure tournait, tournait... De temps à autre, une vibration animait la meute, et on faisait cinq bons mètres... À 19 h 50, je me trouvais immobilisé devant le feu tricolore du Pont au Double, à hauteur de Notre-Dame. Il m'avait fallu cinquante minutes pour faire un kilomètre ! Comment imaginer que je puisse atteindre la rue François-Ier en dix minutes !... J'adressai à Catherine une supplique :

« Ma chérie, dégage-moi la route, s'il te plaît. Je ne peux pas faire attendre douze personnes jusqu'à 9 heures du soir ! »

Le feu passa au vert. Et, de l'autre côté, un quai vide à l'infini... Et tout aussi vides et roulants la voie sur berge, le pont des Invalides...

Ma montre marquait 19 h 59 lorsque je garai la Golf devant le domicile des Horwich. À 20 heures pile, je sonnais à leur porte.

On me dira, bien sûr, que ce genre de truc est fréquent à Paris : ça bouchonne dans un coin et, passé le bouchon, on roule pied au plancher. D'accord. Il n'empêche qu'en descendant de voiture, je remerciai Catherine. Et elle eut le bon goût de ne pas répondre :

« De rien... »

Pour autant, je n'inscris pas ce genre de chose au crédit de mon attentive petite bonne femme mais dans la rubrique : « Événements heureux non identifiés » pour la bonne raison qu'elle m'a mis en garde :

172

« Ne m'attribue pas tout ce qui t'est bénéfique ou agréable. Je te protège de mon mieux, c'est vrai. Je te donne les meilleurs conseils qui soient. Je t'inspire les bons choix et les bonnes décisions, du genre : "Téléphone au Dr Nivière" ou "Cherche dans les pages jaunes de l'annuaire." Mais tu mènes ta vie à ta guise. De bonnes choses t'arrivent ou t'arriveront, et des tuiles aussi : la plupart du temps, je ne serai pas responsable des unes, et jamais – tu t'en doutes – des autres. »

Quand nous échangions ainsi des idées ou des propos décousus, mille questions me brûlaient les lèvres. Par exemple :

« Comment un "pur esprit" comme toi peut-il observer si bien les choses, ou bouger un bénitier, ou caresser les cheveux de Thérèse ?

– Mais je ne suis pas un pur esprit ! En tout cas, pas encore. J'ai une apparence corporelle qui t'est invisible, certes, mais qui est dotée de toutes les fonctions d'un corps physique. Je peux voir, entendre, toucher, sentir un parfum. Et, bien sûr, je peux aussi rire ou sourire, je peux aimer, je peux communiquer et me faire comprendre. Ce corps très particulier que j'habite est libéré des servitudes, des déchéances et des pesanteurs de mon corps physique, mais c'est tout. Il est, à la fois, d'essence spirituelle et humaine, une étape en quelque sorte, une transition, un état intermédiaire...

– Si je pouvais te voir, si tu pouvais m'apparaître un jour – ce qui, m'as-tu dis, est rarissime mais non impossible – quelle serait ton apparence ?

– Elle serait identique à celle que tu as connue, les disgrâces et les souffrances en moins. Et comme l'amour est la clé de tout, y compris de la communication qu'il nous a permis d'établir, mon apparence, pour toi, serait celle de la femme que tu as rencontrée pour la première fois, et aimée, je crois bien, il y a trente-trois ans...

– J'en rêve... Mais tu me trouverais bien moche...

– Mon bonhomme... Je t'ai aimé du premier jour au dernier jour. Et il n'y a que cela qui compte.

– Tu parles toujours de l'amour...

– Oui. Et je t'en parlerai souvent. L'amour, c'est le mot et la notion magiques. La clé de tout, je le répète. Là où tu es, et là où je suis. Il ouvre toutes les portes, même les plus verrouillées. C'est pourquoi les bêtes qui nous ont aimés d'un amour vrai et que nous avons aimées, sont ici, avec nous, près de nous. Cela t'étonne ?

– Non, pas du tout. J'en étais convaincu.

– Il est tard, mon tintouin. Va te coucher. Tu as beaucoup à faire demain. »

(Cette conversation, je suis certain de n'en avoir rien modifié car j'étais à mon bureau lorsqu'elle a eu lieu et je l'ai consignée au fur et à mesure que nous parlions.)

Le lendemain matin, et dès qu'elle m'eut rejoint, je lui exprimai mes craintes à propos de notre entretien de la veille :

« Si on publie ce que tu m'as dit hier, on va me prendre pour un fou...

– Qu'est-ce que ça peut te faire ? Des gens te prendront peut-être pour un fou mais d'autres, qui te croiront, y trouveront réconfort et sérénité. Ce sont ceux-là qui m'intéressent. D'ailleurs tu ne seras pas le premier à décrire ce type de communication.

– On m'a dit, en effet, qu'il existait des livres sur la question. Je n'en ai lu aucun.

– Je le sais. Eh bien, ne les lis pas. N'en lis aucun. Tu ne dois être influencé par rien ni personne. Tu dois écrire ce que tu vis, entends et constates, sans te soucier de savoir si cela corrobore ou contredit d'autres témoignages. Tu me le promets, oursette ? Tu ne lis rien ! Ou alors je ne te dis plus rien.

– Tu m'en dis si peu...

– Je t'en ai dit beaucoup, au contraire.

– Mais je ne sais toujours pas où tu es... Pourquoi ne veux-tu pas me le dire ?

– Ce n'est pas que je ne veuille pas te le dire... Tout, ici, s'exprime différemment, en termes de notions, de concepts, et même de vocabulaire. Et tu n'es pas bilingue... Ce que nous craignons, ce sont les erreurs de traduction, les interprétations fantaisistes, les divagations, les incompréhensions qui débouchent sur des hérésies ou des conclusions erronées... Dans certains domaines du surnaturel, toutes les Églises se sont plantées, y compris la nôtre. Et puis, à défaut de pouvoir comprendre, on a affublé notre "autre vie" de toute une imagerie réductrice et simpliste destinée, sans doute, à la ramener à l'échelle humaine mais qui conduit à des contresens et à des blocages : le beau vieillard divin à barbe blanche, assis sur son petit nuage comme un empereur romain ; le diable aux pieds fourchus attisant, en ricanant, son feu d'enfer ; les anges gardiens en

175

belles robes blanches, avec leurs ailes immaculées en duvet de cygne, et même les "purs esprits", comme tu les évoquais tout à l'heure, flottant dans l'éther comme des zombies... Pas étonnant que l'enfant ébloui, devenu adulte réfléchi, envoie tout promener, en même temps que le père Noël, les œufs de Pâques qui tombent des cloches et la Belle au bois dormant...

— N'est-ce pas ce que tu avais fait, dans une certaine mesure ? Je veux dire : douter de tout ?...

— Ce qui me dérangeait, c'était la souffrance des bêtes. Elles sont innocentes, les bêtes. Quand la télé diffusait un documentaire où l'on voit une lionne sauter sur une gazelle et lui briser la nuque, j'étais révoltée. Comment un Dieu, que l'on dit bon, a-t-il pu vouloir cela ?

— Et je te faisais observer que les bêtes tuent pour se nourrir, et non pour le plaisir, et que, de surcroît, elles tuent sans faire souffrir. Ce sont les hommes qui ont inventé la torture, pas les animaux.

— Et je te répondais : quand tes chats jouent des heures durant avec un mulot avant de l'estourbir d'un coup de dents, qu'est-ce que c'est ?...

— Je te faisais remarquer que le jeu, qui précède l'exécution, est une nécessaire gymnastique pour garder intacts et affûtés les réflexes de la chasse et de l'autodéfense, indispensables pour la survie des bêtes libres – qui l'ont été ou pourraient le redevenir si on les abandonne. Observe que ces "exercices" blessent très rarement le mulot. La preuve : nous avons souvent sorti des crocs de Mimi ou de Lulu, pour les remettre en liberté, des mulots qui n'avaient pas une égratignure.

176

– À l'époque, tu voyais plus clair que moi, tu démêlais mieux que moi d'apparentes contradictions. La situation s'est inversée.

– Justement ! Maintenant, tu penses quoi ? Ou tu sais quoi de plus ?

– Il faut placer ce débat plus haut, à son vrai niveau. L'univers et la vie qui l'anime sont régis, entre autres choses, par la loi des grands équilibres. Tout a son contraire. Il y a le jour et il y a la nuit ; le blanc et le noir ; la tristesse et la joie ; le bien et le mal ; et, bien entendu, la vie et la mort. Et rien ne serait possible sans son contraire. Il n'y aurait pas de vie sans la mort – de vie sur terre, j'entends. Sans la mort, ce régulateur de la Création, la vie se détruirait elle-même par pourrissement, c'est-à-dire de la pire façon qui soit. Imagine, par exemple, la planète couverte d'êtres se tenant au coude à coude, se piétinant...

– On pourrait faire comme les Chinois : réglementer les naissances... Ou même les interdire.

– Chaque âme doit, à un moment ou à un autre, s'incarner. À chacun son tour. Pourquoi veux-tu que la vie d'ici soit réservée à quelques privilégiés ?

– Mais pourquoi faut-il s'incarner ?

– Pour que chaque âme ait l'opportunité de choisir librement entre le bien et le mal. C'est, dans tout le processus de la Création, la seule alternative qui soit laissée ouverte. Toutes les autres nous sont imposées.

– Tu vois bien que tu peux m'en dire beaucoup sans que j'ouvre des yeux ronds !

– Je te dis le plus simple, ce que tout le monde peut comprendre, toi le premier. Je te dis un peu de

177

ce que je sais déjà, ou ai compris moi-même. Mais il y a tellement plus !... Je n'en suis qu'à l'alphabet... Il me reste beaucoup à apprendre.

— Si tu me disais déjà tout ce que tu sais...

— Tu ne pourrais pas comprendre... Surveille ton chat : il est en train de déchirer ton journal.

— Par moments il est infernal, ce Mimi ! Regarde ! Il en a fait de la charpie !... Excuse-moi, j'ai perdu le fil...

— Je t'expliquais pourquoi il est périlleux d'utiliser ton vocabulaire pour décrire ou tenter d'expliquer l'incommunicable. Si je te dis, par exemple, que je suis dans le premier cercle de lumière, quelle idée peux-tu t'en faire ?

— Je ne sais pas, moi... Un long chemin, peut-être ?

— Pas mal. Je dirais plutôt : une lumineuse ascension... Mais tu n'es pas plus avancé.

— En somme, quand je t'appelle, je te dérange ? J'interromps quelque chose d'important ?

— Non. Nous avons tous ici une mission. La mienne, prioritairement, et parce que je l'ai demandée, est de m'occuper de toi, qui en as besoin, de nos chats, de nos amis. Plus tard j'en recevrai une autre, j'imagine.

— Par exemple ?

— Je ne sais pas... Certains ont pour mission de témoigner, d'une façon ou d'une autre. Oursette ! Ton eau déborde !

— Zut ! J'avais oublié le poisson des chats !

— Regardez-moi ce gâchis ! Tu n'as plus qu'à tout éponger ! N'oublie pas d'essuyer le tableau de

178

commande des plaques et les moulures de la porte. Ça va sentir bon... Je vais te laisser, le tintouin. Jacqueline ne va pas bien et elle a besoin de moi.

– Dans cette "autre vie", rien ne te fait peur jamais ?

– Mais non ! Au contraire. Tout me rassure. À tout à l'heure, mon bonhomme. »

La peur... Voilà un sentiment qui ne la visitait jamais, physiquement du moins. Catherine, par nature, était intrépide. Je me souviens que le soir de notre mariage américain, après le dîner que nous avions offert à notre témoin, Jacques Sallebert, elle avait manifesté l'envie de découvrir Harlem.

« Oh non ! s'exclamait Jacques. Et surtout pas la nuit ! Aucun Blanc américain ne s'y aventure après la tombée du jour ! »

Comme j'avais senti que cela la tentait quand même, et nonobstant les mises en garde de Sallebert, nous nous étions faits déposer à la lisière du quartier noir, tout au bout de Central Park (le chauffeur de taxi refusant d'aller plus loin).

Et nous étions partis à pied, à travers des rues pauvres, sales, mal éclairées. Au fond d'une impasse, une musique superbe filtrait de ce qui semblait être un grand café. Nous étions entrés. J'aime le jazz et là, j'étais servi ! Nous avions commandé des bières et nous étions restés longtemps à écouter des musiciens extraordinaires dans une atmosphère survoltée. Mais c'est vrai, nous étions, dans la salle, les seuls Blancs... J'avais noué la conversation avec nos voisins : un couple et leur fils, d'abord renfro-

179

gnés, puis, petit à petit, détendus et même amicaux. À la fin du concert, nous étions sortis avec eux et ils nous avaient conduits vers une salle de bal où des danseurs, tous noirs aussi, rivalisaient d'acrobaties. Vers 5 heures du matin, nous avions regagné, un peu vannés, les abords de Central Park et un taxi nous ramenait à l'hôtel.

Sallebert n'était pas content :

« Vous avez eu de la chance ! Beaucoup de chance ! »

Bon. D'accord. En tout cas, on s'était bien amusés.

Il nous arrivait souvent de revivre ensemble un de ces bons moments. Je lui avais demandé un jour :

« Quel est ton souvenir le plus heureux ? Avec moi, s'entend.

— Il y en a beaucoup !... Sienne, par exemple. Quelle ville extraordinaire ! On s'y était promenés, après le déjeuner. Des rues vides sous un grand soleil... Des façades roses ou bleutées... Des chats sur le pas des portes... La majestueuse place du Palio... Tout le monde faisait la sieste, je présume... Te souviens-tu de ce brave curé rencontré dans l'église Sainte-Catherine que j'avais tenue à visiter ? Il s'exprimait dans un français un peu chantant et nous avions taillé une bonne bavette. "Ah, votre de Gaulle !... Quel homme !..." Qu'un curé italien et tu sais combien j'aime les Italiens – évoque avec admiration de Gaulle dans l'église de ma sainte patronne, c'était cadeau !... – Et toi, ton meilleur souvenir ?

— Dans les bons souvenirs les plus récents, je choisirai mes retours vers Gordes, l'été, après une

180

semaine de boulots parisiens. Dès que je m'installais dans le TGV de midi devant le couvert déjà mis et en attendant un très bon petit repas, un whisky-Périer à portée de main, je baignais dans la félicité... J'allais te retrouver, et les chats aussi, et notre maison, nos plantations, nos murets, ce paysage époustouflant, les odeurs de la lavande et du thym, nos bons amis... Chaque tour de roue m'en rapprochait. Je me sentais bien, détendu, en vacances, la conscience tranquille parce que j'avais bien travaillé et que vous revoir, toi, les loustics, notre chez nous, je l'avais bien mérité. Pour un peu j'aurais souhaité que le voyage durât plus longtemps.

– Pareil pour moi. J'avais beau me dire : Ne te presse pas, ma vieille, tu as tout le temps, j'arrivais toujours à la gare une heure avant ton train, de peur de te manquer. Je te voyais descendre de ton wagon. Mais, une fois sur deux, tu ne me trouvais pas dans l'agitation des gens qui se rejoignaient et des gens qui se séparaient. Ça me faisait rire... Je te reluquais, de loin, te dévissant le cou, à droite, à gauche... Il fallait que je t'appelle pour que tu me voies... Sacré tintouin, va !... »

Parfois elle venait avec les chats dans leurs paniers, et, dans la voiture, c'était la fête.

Les chats ont toujours tenu une grande place dans notre vie. Ils sont exclusifs, on le sait, c'est-à-dire qu'ils réservent le gros de leur tendresse à une personne en particulier. Les autres n'en ont que des miettes. Pour Mimi, c'était moi l'élu de son cœur, aucun doute là-dessus. Lulu, lui, aimait Catherine, à sa manière, je l'ai déjà dit. Et, précisément, il allait, le petit Lulu, me réserver une belle surprise !...

J'achevais de m'habiller pour aller dîner chez Henry et Régine Bonnier. Avant de partir, et afin que les chats se tiennent tranquilles pendant mon absence, je remplis leurs soucoupes. Perchés sur le comptoir de la cuisine, ils attaquèrent leur repas de bon appétit. Soudain Lulu leva la tête, sauta sur le sol et courut vers la porte du salon. Immobile sur le seuil, il scrutait intensément la pièce... On le sentait inquiet, presque affolé. Qu'avait-il vu ou entendu ?... J'entrai dans le salon mais il ne m'y suivit pas. La pièce était vide, naturellement. Aucun intrus à deux ou quatre pattes. Je revins dans la cuisine et je vis que le poil de Lulu était en bataille et que sa queue avait triplé de volume... C'est ce que font tous les chats lorsqu'un danger les menace, ou que quelque chose leur fait peur, les perturbe. « Allons, Lulu, il n'y a rien ni personne dans le salon. Ni chien ni chat. Calme-toi. » Mais il ne bougeait pas, les yeux exorbités, la fourrure hérissée... Et c'est alors que je perçus la voix de Catherine :

« Je suis là, oursette. »

Et je sentis très clairement qu'elle se trouvait devant mon bureau, face à la porte de la cuisine, et à Lulu, par conséquent, occupée à lire, me semblait-il, ma prose de la veille posée sur la tablette.

Lulu avait senti sa présence !

Ceux qui connaissent les chats savent à quel point leur instinct est infaillible et ne les trompe jamais. Le « témoignage » de ce petit chat était capital ! Imaginez que, depuis le début de cette histoire, j'ai rêvé de bout en bout, divagué, tout construit dans ma tête et pris mes espoirs pour des réalités, eh bien le comportement de Lulu suffisait à authentifier, sans doute possible, la présence de Catherine dans la maison. À lui seul, il valait toutes les cautions.

Pourquoi cette fois-là, et pas les autres, avait-il ainsi réagi ? Sans doute parce que la présence de Catherine était particulièrement forte ce soir-là ; ou peut-être parce qu'il ne s'attendait pas à la sentir dans la pièce à côté, loin de moi et de ma rassurante présence.

À ceux qui pourraient penser que ce que je viens de relater relève aussi de l'affabulation, je conseille de refermer vite ce livre : il ne peut rien leur apporter.

Je ne pouvais le dissimuler, cependant : l'« épisode Lulu » m'avait fortement impressionné. Avec sept ouvrages sur les chats, je passe pour bien les connaître, et l'attitude de Lulu comportait une zone d'ombre, en dépit des deux motivations qu'on pouvait lui attribuer : pourquoi une réaction si nette, si vive, si spectaculaire ?...

C'est Catherine qui leva le voile, un peu plus tard :

« Entre Lulu et moi il a toujours existé un lien très fort et cela, dès le premier jour. Yveline l'avait compris, d'ailleurs. Elle m'avait apporté, à l'hôpital Saint-Joseph, un chat noir en peluche, de la même dimension que lui, et je passais toutes mes nuits avec cet erzatz de Lulu dans les bras... Lulu m'a déjà sentie souvent. Dans la penderie, l'autre jour, souviens-toi... Tu en doutais, n'est-ce pas ? Parfois aussi quand nous sommes ensemble, dans la cuisine, et il ne le manifeste pas. Mais, hier soir, je l'ai appelé...

– Dieu du ciel, mais tout s'éclaire !

– Oui. C'est ça qui l'a fait réagir si fort.

– Veux-tu dire qu'il y a entre Petit-Lulu et toi le type de communication qui s'est établie entre nous ?

– Non, pas du tout, c'est très différent. Chez Lulu, ce qui marche, c'est ce sixième sens qu'ont tous les chats et dont tu as déjà parlé, je crois bien, ce système mystérieux d'ondes réfléchies qu'aucun scientifique n'a jamais pu expliquer. S'y est ajouté le fait qu'en l'appelant, ma présence s'est orientée vers lui, a pesé sur lui. Et ça, il l'a très bien senti. Ils sont fantastiquement sensitifs. »

Tout était, à présent, lumineux.

Je viens de me relire et je me rends compte à quel point Catherine a raison et combien nos mots, nos pauvres mots, trahissent des réalités qui transcendent notre petit monde clos, rétréci et matérialiste. Quand j'écris : « Catherine m'a dit... », « Catherine m'a parlé de... », « Je lui ai répondu que... », j'emploie un langage de terrien... Car je n'entends pas la voix de Catherine, je ne l'ai jamais entendue. Et pourtant son discours m'arrive dans le cerveau sans que j'y sois pour quelque chose, je supplie que l'on me croie. Parfois même elle interrompt une réflexion que je me faisais, une pensée qui me traversait l'esprit, et qui étaient à dix mille lieues d'elle. Passé les tâtonnements du début, les interférences entre nos formulations réciproques, je reçois, maintenant, une perception très forte, très nette et remarquablement identifiable des propos qu'elle me tient. Et tout cela, dans le silence le plus total...

« S'il t'est déjà difficile de faire comprendre quel type de communication est la nôtre, me dit-elle, imagine un peu ce qu'est ma difficulté à tenter de te faire entr'apercevoir l'univers qui est le mien, et ta propre difficulté à le décrypter... Et puis je ne suis pas porteuse de messages pour l'humanité souffrante. On ne m'a pas chargée d'éclairer les hommes sur ce qui les attend de ce côté-ci, et il y a de bonnes raisons à cela, crois-moi. C'est pourquoi je m'en tiens, et je dois m'en tenir, à des réalités simples, à l'échelle humaine, qui te sont intelligibles, que tu peux redire autour de toi parce qu'elles sont porteuses d'amour, d'espérance et de foi ; parce qu'elles rassurent, consolent et aident à passer, dans la paix du cœur et de l'âme, de ton côté au mien. »

IV

Le temps s'est radouci. Après des semaines de pluie et de bourrasques, un soleil timide a glissé un œil entre deux nuages. Gillot-Pétré et ses collègues de la météo télévisée nous annoncent avec gourmandise des températures « très au-dessus des normales saisonnières ». Un petit air de printemps court dans les rues...

Mimi vient de rentrer. Pour la première fois depuis longtemps, il a passé deux heures dehors, et Lulu, tout heureux de le retrouver, se frotte contre lui comme s'ils ne s'étaient pas vus depuis un an. Ils dînent tous les deux, à présent, juchés sur le comptoir de la cuisine, le nez dans leur soucoupe, et je sens que Catherine, près de moi, les regarde avec émotion :

« Je les aime, ces deux loustics ! Et puis, ils sont si beaux !

— Est-ce que les chats tiennent une place à part dans la création ?

— Une place privilégiée, en tout cas, et dans leur "catégorie", bien entendu. J'en veux pour preuve la présence auprès de moi de notre merveille de Moune et de mon chien Moustache. Or, je n'ai vu, ici, ni mouches ni dindons...

186

– Tu m'as dit un jour que c'est l'amour, profond et désintéressé, qu'ils nous portaient, et l'amour que nous leur rendions qui expliquaient leur présence dans cette "autre vie" où, a priori, ils n'avaient rien à faire. Mais est-ce que ce n'est pas un peu difficile à admettre pour des gens qui n'ont pas, comme nous, des convictions chevillées au corps ?

– Je te l'ai déjà dit, je crois, l'amour est la clé qui ouvre toutes les portes, même et surtout celle qui nous sépare provisoirement, toi et moi, et derrière laquelle je me trouve. Or ici, où je suis, est le royaume de l'amour, pour employer des mots de "terrien." Y serions-nous totalement heureux si nous n'y retrouvions pas ceux que nous avons aimés sur terre et qui nous ont aimé, associés à nous dans la lumineuse découverte de la communion divine ? Une réunion de famille est-elle parfaite si deux enfants en sont absents ?... Pourquoi les bêtes qui nous ont aimés, autant et parfois mieux que les hommes, et que nous avons nous-mêmes aimées à l'égal d'un enfant, pourquoi ces bêtes d'exception seraient-elles exclues du grand banquet de la vraie vie ? Et au nom de quel tabou notre totale félicité serait-elle amputée d'une partie de ce nous-mêmes que fut, sur terre, ce grand sentiment partagé ?

– Cela, ce n'est qu'une partie de la réponse et elle me satisfait. Mais tu ne m'as pas dit si, de son côté, Dieu ne se sentait pas plus proche de certaines créatures que d'autres ?

– Dieu a tout créé, je ne t'apprends rien, du plus monstrueux dinosaure au plus infime insecte. Il a conçu des créatures extraordinairement différenciées, les a dotées de formes, de caractéristiques et de fonctions différentes, et leur a donné des degrés inégaux d'intelligence. Mais ne peut-on penser qu'il soit plus satisfait des unes que des autres ? Tout créateur en passe par là. Un peintre, ou un sculpteur, ou un ébéniste juge spécialement réussi tel tableau, telle sculpture, tel meuble. Il me semble évident qu'Il a façonné certaines créations avec un soin et un amour tout particulier : la rose est plus achevée que l'ortie, l'orchidée plus élaborée que le brin d'herbe... Pourquoi n'aurait-il pas fait de même avec certaines créatures, par exemple en les dotant de sentiments, tout comme nous, d'une capacité d'émotions, tout comme nous, et d'une intelligence, tout comme nous ? Et comment, dès lors, n'aurait-il pas, à l'égard de ces créatures particulièrement fignolées – pardonne-moi l'expression – une tendresse particulière, une connivence, j'allais dire, une faiblesse ?... Ces créatures sont l'échelon inter-médiaire entre ce que je serais tentée d'appeler la "bête mécanique" et l'*Homo sapiens*, une classe de "bêtes sensibles", en quelque sorte. Observe que ces "bêtes sensibles" se sentent si voisines de l'homme qu'elles s'en sont approchées au point de l'accom-pagner toute une vie durant ou, à tout le moins, ont souhaité le faire. C'est le cas du chien et du chat. Et puis, si ces créatures-là sont l'absolue beauté, est-ce par hasard ?... Ce qui nous distingue, ces bêtes et nous, ce sont nos capacités réciproques, bien sûr, et aussi les formes de l'intelligence : un chien ne peut pas faire ce que fait un homme, et l'inverse est éga-lement vrai. Mais la différence essentielle tient au

188

fait que l'homme, et lui seul, a été créé "à l'image de Dieu", avec tout ce que cela implique et que, de surcroît, il a été doté de fonctions, de moyens et de privilèges qui lui permettent – et lui seulement – de faire des choix moraux, ce qui n'est pas le cas des bêtes qui, elles, ne font que des choix d'instinct, d'humeur ou de survie. L'homme, dès le départ, a reçu le droit de prendre ses distances vis-à-vis de son Créateur. C'est à lui de savoir ce qu'il fera de cette liberté : ou il se rapprochera de Dieu ou il s'en éloignera. Les bêtes n'ont pas reçu cette liberté-là. De leur naissance à leur mort, elles ne sont qu'un éclat de la puissance de Dieu. Mais certaines de ces bêtes sont un éclat particulièrement brillant, particulièrement aimé et particulièrement proches de Lui, par conséquent.

– Et quelle est, parmi ces espèces élues, si j'ose dire, celle qui est le plus près de son Créateur ?

– Je vais te répondre. Mais, avant cela, je voudrais que tu comprennes bien que tout ce que je te dis en ce moment ne résulte en rien d'une révélation qui m'aurait été faite, ou d'un quelconque enseignement qui m'aurait été dispensé, et n'est pas non plus une lumineuse et soudaine connaissance dont on m'aurait divinement gratifiée. Simplement, les écailles me tombent, une à une, des yeux... Je pense et je raisonne, désormais, avec une intelligence toute neuve et, pour t'amuser avec une image : entièrement repeinte et refaite à neuf ; une intelligence débarrassée des scories qui l'encombraient sur terre. C'est le stade où j'en suis, en tout cas. J'imagine que mieux encore m'attend... Je réponds maintenant à ta question. La créature animale qui me paraît le plus près de son Créateur est, de toute évidence, celle qui a été souvent divinisée, chez les Égyptiens d'avant l'ère chrétienne, par exemple : ils en avaient fait la déesse Bastet ; celle aussi qui, au temps des obscurantismes, était assimilée au démon et brûlée avec les sorcières parce que, faute de la comprendre, on s'en effrayait ; celle qui possède des dons stupéfiants demeurés totalement inexpliqués ; celle qui, enfin, a fasciné des générations d'écrivains, de philosophes et de savants.

– Le chat ?...

– Oui. Quelle bête aurait pu sentir ma présence dans le salon, l'autre soir ? S'il n'y avait pas en Lulu une toute petite parcelle de divinité, crois-tu qu'il m'aurait "vue", moi l'invisible ?...

– Si j'écris cela, des lecteurs vont dire : Évidemment ! Avec sept bouquins sur les chats et l'amour qu'il leur porte, il est de leur côté, il en rajoute, il fait dire à Catherine ce qu'il a envie d'entendre...

– Si tu as l'intention de t'occuper de ce que certains vont dire ou penser, flanque tout de suite ton manuscrit dans la corbeille à papiers. Moi je te dis soit le peu que je sais, soit le peu que j'ai compris, ou crois avoir compris, soit le peu que toi tu puisses comprendre. Tu me crois ou tu me crois pas mais souviens-toi, oursette, je ne t'ai jamais menti !

– Je te crois ! J'ai peur, seulement de faire sourire.

– Tu ne feras sourire que ceux qui n'ont jamais plongé le regard dans un regard de chat. »

Cette conversation-là, je l'avais aussi couchée sur le papier au fil des reparties. Je n'ai corrigé par la suite que quelques facilités de style parlé et deux répétitions, sans en rien changer d'autre.

Catherine m'avait dit, en cours d'entretien, qu'elle fonctionnait avec une intelligence « toute neuve ». Je le constatais, en effet. Sans être plus intelligente qu'« avant », – et elle l'était à un degré rare, tout le monde en convenait –, ses raisonnements semblaient mieux charpentés, la pensée allait beaucoup plus loin, le « style » même changeait : plus riche, plus élaboré, plus pénétrant, avec des mots rares, des expressions heureuses, telles que : « les bêtes sont un éclat de la puissance de Dieu » ou : « la lumineuse découverte de la communion divine ».

C'est pourquoi j'étais constamment attentif à ne pas trahir son discours, et, chaque fois qu'un dialogue badin ou familier dérivait vers les sujets graves, je l'arrêtais : « Attends une seconde, je prends de quoi écrire... »

En fait, j'avais le sentiment d'avoir en face de moi deux Catherine : celle d'ici et d'hier, drôle, sarcastique, argotique, la Catherine qui me tançait parce que j'avais laissé l'eau déborder de la casserole ou qui s'exclamait : « Surveille ton chat, oursette ! Il fout la moitié de sa pâtée sur la nappe ! Quel sagouin, quand même ! » ; et puis l'autre Catherine, celle de « là-bas » et d'aujourd'hui, qui m'entrouvrait – oh très peu ! Et très rarement ! – les grands horizons de cette « autre vie » où j'avais de plus en plus hâte de la rejoindre.

Or, cela, je n'étais pas le seul à le sentir. Yveline Lecerf, avec qui je dînais récemment, me disait la même chose :

« Ce qui me frappe, dans ta relation, c'est la façon dont Catherine s'exprime parfois. Ce n'est pas ton style et ta façon de dire les choses, et ce n'est pas non plus ceux qui étaient les siens quand nous passions une soirée ensemble à bavarder à bâtons rompus. On dirait, par moments, que c'est quelqu'un d'autre qui parle avec, par-ci par-là, des repères qui permettent quand même de l'identifier. »

Alors que ma plume courait sur le papier, j'ai senti qu'elle se penchait vers moi :

« Tu as lu ce que je viens d'écrire ?

– Oui, j'ai l'habitude.

– Est-ce que tu es d'accord ? Je veux dire, avec ce que nous pensons, Yveline et moi ?

– Tout à fait. Et c'est normal. J'ai la tête au ciel et les pieds sur terre. »

Cette image-là, je ne l'aurais pas trouvée. Je l'ai notée tout de suite.

En voiture aussi nous bavardions beaucoup. Où que j'aille, elle m'accompagnait. Ça m'arrangeait bien, d'ailleurs, car si je me débrouille à peu près dans Paris, elle, en revanche, a toujours magnifiquement construit ses trajets, allant au plus court et au moins encombré. Si bien que j'avais rapidement renoncé à consulter un plan avant de mettre mon moteur en route, ce que j'avais toujours fait jusqu'ici. Désormais je me laissais guider : « Prends à droite... » « Va devant toi. » « Au carrefour, tu

192

tournes à gauche. » « Après ce feu, tu vas à droite... » Épatant. Ça me laissait l'esprit libre pour tailler une petite bavette avec ma bonne femme.

J'avais rendez-vous, ce matin-là, avec l'un de mes éditeurs et comme ça circulait mal nous avions le temps pour nous. Cette histoire de bêtes qui nous rejoignent de l'autre côté continuait à me préoccuper et je remis la question sur le tapis :

« Ce que tu m'as dit l'autre jour, à leur propos, va combler ceux qui les aiment mais je ne suis pas sûr que ce soit très orthodoxe...

— As-tu lu quelque part que ça leur était interdit, et que ça nous était interdit ?

— Non, j'en conviens.

— Tout ce qui est une miette d'amour a sa place ici. Raconte donc l'histoire de Doudou.

— Je l'ai déjà fait.

— Tout le monde n'a pas lu *Un amour de chat*. Elle est formidablement éclairante, cette histoire.

— Si tu y tiens... »

Alors voici l'histoire de Doudou.

Dans la bonne ville de Thouars, dans les Deux-Sèvres, vivaient en parfaite harmonie un vieux monsieur, veuf et retraité, sa fille Françoise et un beau chat noir qui répondait (quand il en avait envie) au nom de Doudou. Françoise ne m'en voudra pas de donner leur adresse : 3, boulevard Bergeon, car l'histoire que je vais conter a été rendue publique par la presse locale et régionale, photos à l'appui. Doudou aimait Françoise, certes, mais l'amour de sa vie était le vieux monsieur qui, de son côté, le lui rendait bien. Et puis, un jour, le vieux monsieur mourut. Surmontant son désespoir, Françoise fit ce qui s'impose en ces circonstances et, le jour des obsèques venu, elle enferma Doudou dans la cuisine et s'en fut enterrer son papa au cimetière de Thouars, à l'autre bout de la ville. Trois jours plus tard, profitant d'une porte malencontreusement ouverte, Doudou disparut. Françoise Salé le chercha partout, mit des annonces dans les journaux, alerta les voisins... Doudou ne reparaissait pas... Le dimanche suivant, elle s'en fut porter des fleurs sur la tombe de son père et que vit-elle ?... Doudou, immobile, assis sur la pierre sous laquelle reposait son grand ami. Comment Doudou avait-il su qu'on l'avait conduit ici, dans ce cimetière, pour son dernier voyage ? Pendant l'enterrement, il était resté enfermé dans la maison !... Et comment, dans ce grand cimetière où il n'était jamais allé, avait-il senti que c'est sous ce marbre-là et pas un autre que reposait la dépouille de celui qu'il aimait plus que tout au monde ?... Il ne sait pas lire, Doudou...

Françoise Salé voulut le ramener à la maison, mais Doudou refusa de bouger. Alors, – écoutez bien ! – pendant deux ans, Françoise dut lui apporter à manger tous les jours sur cette tombe qu'il ne voulait pas quitter, qu'il pleuve, qu'il vente ou qu'il neige. Cela se passait en 1990. J'ai publié, dans *Un amour de chat*, la photo de Doudou sur la pierre tombale de M. Salé, une photo que Françoise m'avait adressée.

Doudou est mort depuis. Il est mort de froid. Il est mort sur la tombe de son ami qu'il n'avait pas voulu abandonner, seul, au vent, à la pluie, dans la neige...

« Voilà, ma chérie. Je viens de raconter l'histoire de Doudou.

– Je t'en remercie. Où serait la justice et que serait l'amour que Dieu porte à ses créatures – cette justice et cet amour qui sont la règle ici – si Doudou n'avait pas rejoint son grand ami qui l'attendait, lui aussi, dans "l'autre vie", avec autant d'amour qu'il en avait reçu de ce petit chat noir ?... Connais-tu beaucoup de gens qui iraient aussi loin que cette merveille de Doudou ? Si cela n'est pas aimer, trouve-moi un meilleur exemple... »

Je n'avais plus rien à ajouter. « Tout ce qui est une miette d'amour a sa place ici », avait-elle dit...

J'aime la marche. C'est une gymnastique que je peux pratiquer à tout moment et mon cardiologue me la recommande. Du reste, le fait que ce coin du Marais où j'habite soit dépourvu de tout commerce, fringues exceptées, m'y incite quasi quotidiennement. Et puis la rue Saint-Antoine et la rue de Bretagne, où les marchands sont au coude à coude, ne sont pas loin, finalement.

Lorsque j'ai des emplettes à faire, Catherine m'escorte sans même que je le lui demande. Se balader « à mon bras », elle adore ça.

Ces promenades sont, bien entendu, l'occasion de longs échanges. On a tout son temps. Ce samedi-là, elle m'avait décidé à faire un grand marché de fruits et de légumes frais (« des viandes en sauce et des frites, ce n'est pas tout à fait ce que te conseille le Dr Uzan, mon tintouin »). Tout en marchant, je lui avais demandé :

« Existe-t-il un mot qui définisse précisément l'état qui est le tien à présent ?

— Si tu veux te contenter d'un seul mot, je choisirai "sérénité". Mais nous vivons, tout comme toi, des moments d'émotions, d'exaltation, de curiosité, de joie, de plénitude... Ça fait beaucoup de mots, tu vois.

— Jamais d'angoisse ?

— Oh non ! Finie, l'angoisse. Et, pour l'angoissée perpétuelle que j'étais, quelle délivrance !

— Pourtant tu te soucies de moi, tu me surveilles, tu me protèges autant qu'il t'est possible... Alors, jamais d'inquiétudes non plus ?

— M'occuper de toi est une préoccupation, au sens étymologique du terme : "pré", avant. Je réfléchis "avant" l'occupation que tu vas solliciter de moi, que tu l'aies ou non formulée. Ça requiert mon attention ou ma prière, mais ça ne me ronge pas. »

Ces entretiens-là, je les mettais en forme le soir, à mon bureau. Mais elle me surveillait : « Non, je n'ai pas dit exactement cela »... Ou bien : « Tu n'exprimes pas clairement ce que je t'ai confié ce matin. Tâche de te souvenir des mots que j'ai employés... » Ou encore : « Là tu y es ! C'est très bien. »

En revenant vers la maison, ce même samedi, tirant mon Caddie rempli à ras bord, je lui avais dit aussi :

« Tu m'as amené souvent à bousculer bien des idées reçues. On est parfois très loin des leçons d'instruction religieuse que l'on me dispensait quand j'étais gosse...

196

– Il existe un tel décalage entre ce qu'imaginent les hommes et les réalités qui m'entourent et me submergent que c'est inévitable. Et puis comment les hommes pourraient-ils concevoir, vivant une vie éphémère dans un monde fini, des notions telles que l'infini et l'éternité ? Arrives-tu à t'en faire une idée ? Non, n'est-ce pas. Et pourtant nous, ici, baignons à l'aise dans cet infini et cette éternité, comme toi dans l'air que tu respires. L'infini et l'éternité sont l'essence même de Dieu.

– Veux-tu dire que les religions se sont fourvoyées ?

– Non. Ce n'est pas dramatique à ce point-là. Tu m'as dit jadis, et cela m'avait frappé : les religions sont à l'idée de Dieu ce que les partis politiques sont à l'idée de démocratie. C'est une assez bonne image. Et pourtant les partis politiques sont nécessaires pour faire vivre la démocratie dans l'esprit des hommes, tout comme il faut des religions pour faire vivre Dieu dans l'âme des hommes. Alors elles font de leur mieux, les religions, à la mesure de leurs moyens. Avec vos mots à vous, vos schémas de pensée, vos formulations nécessairement terre à terre, jusqu'à ce que vous butiez sur une incompréhension, un mystère... La foi, c'est croire quand on ne comprend pas.

– Il y a ceux qui ne peuvent pas.

– Ceux-là n'en seront pas pour autant privés de Dieu plus tard. L'enfer pour les non-croyants, c'est encore une fable. Je crois qu'elle a fait son temps, d'ailleurs, tout comme l'enfer pour les non-baptisés, qui a dû terroriser bien des enfances. Comme toute

construction humaine, les religions – et tout particulièrement la nôtre – évoluent, s'adaptent, font des
erreurs et les corrigent. Et c'est très bien. Car on ne
peut pas leur demander d'être comme Dieu :
immuables... Dieu ne demande pas aux hommes
d'être autre chose que des hommes, avec leurs
limites et leurs butoirs. Il est placé pour les
connaître. Il leur demande simplement de bien se
comporter, vis-à-vis d'eux-mêmes et des autres. Le
père Monnier ne me disait pas autre chose. Mais
combien y a-t-il de père Monnier ?... »

Autour de moi, d'autres malheurs étaient en marche.

Deux de mes amis les plus chers luttaient eux
aussi contre le cancer, à armes inégales. Catherine
m'avait contraint à écrire ce livre pour leur venir en
aide, et venir en aide également à ceux qu'ils laisse-
raient, un jour ou l'autre, derrière eux. Mais quand
et comment intervenir ?...

Il existe dans cette horrible maladie trois stades
que j'ai bien connus. Il y a d'abord le combat. On
lutte pour vaincre la bête qui vous ronge. Féro-
cement, avec tous les moyens de la science, ou pas-
sivement en laissant faire les spécialistes. On veut
s'en sortir !... Et puis, si la médecine se révèle
impuissante et que l'on en prend conscience, vient
la phase du désespoir. On ne veut pas mourir. On
refuse l'échéance. On s'accroche à la vie... La troisième phase est celle de la résignation. Les jeux
sont faits et on l'a compris. On capitule, on
accepte.

Mais assez rares, finalement, sont ceux qui dépassent la seconde phase. Et la mort les cueille comme une horreur qui a le dernier mot.

J'avais demandé à Catherine :

« Qu'est-ce que je dois faire ?

– L'idéal serait que tu interviennes entre la seconde et la troisième phase, entre la révolte et l'acceptation. Si c'est trop tôt, tu ne seras pas écouté. Si c'est trop tard..., ce sera trop tard. Ce n'est pas facile, j'en conviens. Seul l'entourage peut t'indiquer le bon moment. Mais ce que tu dis, expliques et prouves peut et doit toucher les proches du malade, et, ceux-là, à tout moment. Les toucher et, j'espère, les convaincre. La sagesse populaire dit que la mort frappe le plus durement ceux qui restent. Ce serait déjà très bien de parvenir à persuader ceux-là que le départ d'un être aimé n'est en rien une rupture mais un changement d'état ; que l'éloignement n'est que physique, pour peu qu'on le veuille ; qu'ils peuvent tenter de renouer le contact, comme nous l'avons fait, mais que, même s'ils n'y parviennent pas, celui (ou celle) qu'ils croient à tort perdu dans le néant demeure auprès d'eux, attentif et aimant, chaleureux et fidèle, aussi longtemps qu'il sera nécessaire.

– En somme, ce que tu me donnes là, c'est un "mode d'emploi" ?

– Oui. Je sais combien il t'est difficile et pénible d'écrire ce livre, de remuer le souvenir de ces très mauvais moments. Mais pense aux autres. Nous, nous avons beaucoup de chance. Cette chance, elle est à la portée d'autres que nous.

199

– Pourtant je ne vois pas beaucoup de cas semblables au nôtre, autour de moi...

– Pardonne-moi de me répéter, mais, pour que la communication soit possible, il faut réunir trois conditions. D'abord, qu'il y ait eu, entre celui qui part et celui qui reste, une profonde connivence et un amour vrai, partagé, fondamental. Il faut ensuite la vouloir, cette communication, et s'y préparer en en parlant souvent et en se promettant, l'un d'appeler l'autre, et l'autre de répondre à l'appel qu'il reçoit. Il faut enfin croire que c'est possible, et ton livre est fait pour ça. À toi d'être convaincant. »

L'occasion me serait bientôt donnée d'en faire l'expérience...

Lors d'une grande réception à l'Hôtel de Lassay, j'avais retrouvé un vieil ami à nous, que Catherine aimait beaucoup : L.B., parlementaire et ancien ministre (exceptionnellement je ne donne pas son nom car, à l'instant où j'écris, son drame n'a pas touché son terme.) Sa femme, atteinte d'un cancer incurable, était entrée en phase terminale. Nous avons parlé... Il savait ce que j'avais moi-même vécu. Je lui ai proposé de lui adresser le début de ce récit et il a accepté. L.B. ne croit ni en Dieu ni au diable. Est-il athée ou pas ? En tout cas, il ne s'est jamais posé de questions et il ne fréquente aucune église.

Trois jours plus tard, il me téléphonait :

« Je te remercie du fond du cœur... Ce que tu m'as fait lire a bouleversé ma vision des choses. Je l'ai fait lire aussi à H... Le passage où tu racontes que Catherine t'avait fait acheter un gros cahier noir pour noter ses recommandations l'a bien fait rire et elle m'a décidé à en faire autant. « C'est une bonne idée, m'a-t-elle dit. Tu ne sauras pas te débrouiller mieux que lui... » Elle aussi a atteint la sérénité... Mais une chose me trouble : à deux reprises, alors que j'étais à la maison, j'ai senti une présence très nette près de moi. Qu'est-ce que c'était ?

— Ne cherche pas. J'avais demandé à Catherine d'aller t'aider... »

J'ai bien travaillé ce soir. Je suis content.

Catherine rôde dans les parages... Elle admire les rideaux que Claude Barré est venue poser la semaine dernière. Ces rideaux, elle en rêvait. Son dernier rêve... Nous avions acheté le tissu ensemble. Mais les forces lui avaient manqué pour les couper et les assembler. Je lui avais promis : « Tu les auras, tes rideaux ! » Claude, sa grande amie, s'en est chargée.

« Ils sont superbes ! Ça me fait vraiment très très plaisir, mon oursette. »

— Je t'ai fait lire ce que j'écrivais ou tu as lu par-dessus mon épaule. As-tu l'impression que j'ai, ici ou là, un peu brodé, ou arrangé la vérité, ou affirmé des choses douteuses ?

— Absolument pas. Tout est vrai dans ce que tu dis, et je n'aurais pas permis qu'il en soit autrement.

— Même le chéquier retrouvé sur le plancher de la voiture ?

— Même le chéquier retrouvé. Parce que tu l'as retrouvé, n'est-ce pas ?... Maintenant, mon Philippe, écoute-moi bien... N'imagine pas des miracles là où

201

il n'y en a pas. Je n'ai, d'ailleurs, aucun pouvoir pour en faire, tu t'en doutes. Mais, à l'inverse, ne perds pas de vue que ce qui se passe entre nous n'est pas dans l'ordre des choses terrestres : cela échappe à vos normes et souvent, par là-même, à votre compréhension. Mais je voudrais surtout te dire ceci : quand tu es arrivé à Gordes, l'été dernier, tu doutais que nous puissions, un jour, nous retrouver, dialoguer et nous comprendre. Tu le souhaitais intensément, bien sûr, tout comme je l'avais souhaité lorsque je t'ai quitté physiquement, mais tu n'osais pas y croire. Je t'avais pourtant « appelé », mais tu ne m'avais pas « entendue ». Alors il te fallait quelque chose comme un électrochoc, ce que tu as appelé « un signe »... Ça a été ton chéquier retrouvé. Réfléchis... Qu'est-ce qui a été, dans cette histoire, le plus important ? Que tu aies retrouvé ton chéquier ou que tu m'aies « entendue » te dire : « Lève-toi. Va vers la voiture et ouvre la portière arrière ? », ce que tu as fait immédiatement et sans chercher à comprendre. Le plus important, c'était cela : cette première perception que tu as eue de moi. C'est à partir de là que tu as compris que je tenais ma promesse, que je me trouvais près de toi, et que je m'y tiendrais aussi souvent et aussi longtemps que tu en aurais besoin. Le reste est secondaire. Que ton chéquier soit tombé, par mégarde, de ta boîte à archives...

– Mais il était dans le coffre !

– ... Ou que tu l'aies jeté dans la voiture en sortant tes bagages...

– Je n'aurais jamais fait une chose pareille !

202

... ou Dieu sait quoi ? De toute façon, c'est du détail.

— En somme, tu veux me faire comprendre que je ne l'avais pas oublié à Paris, ce fichu chéquier ?

— Je ne l'ai pas dit. Je veux simplement te faire toucher du doigt que ce modeste truchement – c'est un mot que tu aimes bien, je crois – a été le prétexte nécessaire de ce premier "contact" entre nous que tu réclamais tant. Il ne faut pas confondre l'arbre et son ombre. Pour le reste, suis mon conseil : ne cherche pas à comprendre car je ne peux pas tout expliquer et, le pourrais-je, tu ne comprendrais pas mieux... Pour que tu puisses laisser ton imagination gambader tout à son aise, j'ajouterai ceci : j'ai bougé le bénitier, l'autre jour, pour faire un signe d'amitié à Josefa qui passait l'aspirateur dans le salon, et elle ne s'y est pas trompée. Pourtant il est lourd, ce bénitier ! Crois-tu qu'il me serait plus difficile d'ouvrir un tiroir et d'en sortir un chéquier ?... Et qui te dit que je ne l'ai pas fait lorsque je me suis aperçue que tu l'oubliais dans ton tiroir, ce chéquier ? J'ai voyagé avec Roger et toi, figure-toi... Pour vous protéger. Mais tu ne le savais pas, à ce moment-là. Autre sujet de méditation... J'ai rendu visite à Thérèse une seconde après t'avoir quitté, un soir, sur notre terrasse. Penses-tu vraiment que le IIIe arrondissement soit plus loin de Gordes que le XXe ?...

— Si j'ai bien compris, sur cette histoire, tu laisses toutes les hypothèses ouvertes, même la plus rationnelle et la plus terre à terre ?

— Oui parce que c'est mieux comme ça.

203

– Pour moi ?

– Pour toi et pour les autres. Tu comprendras plus tard.

– Bon... Et maintenant ?...

– Quand tu auras fini de rédiger la première partie du bouquin, la descente aux enfers, tu auras fait, et très bien, ce que j'attendais de toi et tu pourras mettre un point final au bas de ta dernière page. Il faut bien t'arrêter un jour. Nous continuerons à vivre ensemble, ainsi que nous l'avons voulu toi et moi. Je t'en dirai peut-être un peu plus car j'en saurai moi-même un peu plus. Peut-être. On verra... Tu recevras de nouvelles preuves, certainement, mais ton livre sera terminé. Et puis tu me rejoindras...

– Bientôt ?

– Termine déjà ton livre. Occupe-toi de ceux qui en passent par où tu es passé : ils ont besoin de toi, de nous, car je serai près d'eux, moi aussi, et ils le sentiront, crois-moi. Si un jour tes problèmes cardiaques – ceux-là ou d'autres – te pourrissent la vie au point de la rendre intenable, et si tu as réglé au mieux le sort de ceux que tu laisses derrière toi : tes filles et nos chats, alors, mon tintouin, je te donnerai le feu vert. Abréger le séjour terrestre lorsqu'il n'est plus que torture et désespoir, pour soi-même et ceux qui nous entourent, n'est pas une offense au Créateur. Mais encore faut-il avoir atteint le fond du malheur et de la déchéance. Dieu connaît nos limites. Il n'exige pas de nous que nous portions un fardeau au-dessus des forces humaines, et moins encore que nous soyons nous-mêmes un insupportable fardeau pour les autres, qui ont bien assez du

204

leur. C'est toujours, au fond, la même chose : si une telle décision n'est pas une forme de lâcheté mais porte, tout au contraire, la marque de la générosité et de l'amour, elle a sa bénédiction. Tout ce qu'on te demande, c'est de ne pas anticiper. Aussi longtemps que tu peux accomplir ce pour quoi tu es sur terre, aussi longtemps que tu te sens capable d'assumer les responsabilités qui t'incombent, aussi longtemps que tu as la force et le courage de supporter les méfaits de l'âge et les coups de boutoir de la maladie, fais face ! Comme je l'ai fait. Attends mon feu vert en confiance. Je ne te ferai pas languir au-delà du supportable. »

Pour l'instant, c'est vrai, pas de gros problèmes à l'horizon. Et, cependant, cette cruralgie qui me tire la jambe droite et me fait boiter depuis plus de cinq mois commence à me saper le moral, d'autant que s'y est ajouté un zona dans le dos, pénible à supporter. J'ai, à ce jour, consulté deux rhumatologues, un acupuncteur, trois ostéopathes et deux généralistes. Leur compétence à tous est indiscutable mais leurs avis divergent. Alors on tourne en rond...

Catherine s'en préoccupe et fait de son mieux. Elle n'a pas le pouvoir de m'éviter les petits pépins comme ceux-là. Elle m'a expliqué pourquoi et j'ai très bien compris. Mais elle m'aide de ses conseils et, sûrement, de ses prières. Hier, par exemple...

Après trois jours d'amélioration sensible, je m'étais levé de nouveau en mauvaise forme. Impossible de faire un pas sans m'accrocher aux murs ou aux meubles. Alors je l'avais appelée à l'aide, naturellement.

« Ton problème, maintenant, est autant musculaire que nerveux, et le D^r Œuvray te l'a dit aussi. À force de marcher comme un crabe, toute ta musculature a pris de mauvais plis. Il faut la décontracter. Trouve un bon kinésithérapeute, comme il te l'a conseillé et, en attendant, prends un bain très chaud.

— Des kinésis, il y en a plein, mais qui va me dire où est le bon ?

— Demande à M. Fahri, notre pharmacien. »

Ce que je fis sans plus attendre.

Le conseil me convenait à merveille :

« À vingt mètres de chez vous, monsieur Ragueneau, au 22 de votre rue. Elle s'appelle Anne-Laure Kalfon et elle est très compétente... »

En cinq minutes, l'affaire fut réglée. Elle m'attendrait le lendemain à midi pour une première séance de rééducation.

On pouvait passer à la seconde partie du programme. Malheureusement, le « bain très chaud » coulait tiède car, la veille, j'avais fait deux lessives, plus la vaisselle, et pompé ainsi toute l'eau chaude du ballon.

Catherine protestait :

« Non, oursette. La chaudière est conçue pour faire, dans la même journée, deux lessives et au moins deux bains. Si tu n'as pas d'eau chaude, c'est que ton thermostat n'est pas sur 90.

— Désolé de te contrarier, ma chérie, mais quand j'ai mis la chaudière en marche je suis bien certain d'avoir calé l'index sur 90.

— Eh bien, va vérifier, mon petit chat. Moi j'en reviens... »

206

Plutôt que de continuer à barboter dans une eau de plus en plus fraîche au risque d'attraper, de surcroît, un bon rhume, j'enfilai une sortie de bain et j'allai jusqu'à la chaudière.

C'est elle qui avait raison. L'index marquait 60...

Elle avait raison doublement, d'ailleurs, car le bain que je pris, en soirée, me décontracta agréablement.

À beaucoup de mes lecteurs, ça doit sembler surréaliste, ces dialogues... Ça l'est, d'une certaine manière. Moi j'en ai pris l'habitude et plus rien ne m'étonne. Tout à l'heure je cherchais le numéro de code de ma carte bancaire, inscrit quelque part, il y a longtemps, car je n'aime pas utiliser les cartes bancaires. Mais cette fois j'en avais besoin parce que les banques étaient fermées et que j'étais à court d'argent. J'avais tout fouillé sans succès...

« Ouvre ton répertoire d'adresses à la dernière page. »

Il était bien là, en effet, camouflé dans un faux numéro de téléphone.

Souvent aussi l'acuité de ses raisonnements et de ses observations me surprend. Ce dimanche matin, nous regardions ensemble un programme de RFO consacré à la Réunion. On y montrait les cérémonies de différents cultes qui cohabitent harmonieusement dans cette belle île que nous aimons tant. Les bouddhistes, ce jour-là, honoraient leur dieu de la Mer en raison de je ne sais plus quelle circonstance, et je lui avais demandé :

« Là où tu es, et sachant ce que tu sais, que

penses-tu, que pensez-vous de ces croyances en plusieurs dieux ?

— À certains, la tâche d'un Dieu unique semblerait à ce point dantesque qu'ils la subdivisent, la fractionnent. Comment un Dieu unique pourrait-il s'occuper de tout et de tous ? Alors tel petit dieu s'occupe des moissons, tel autre des femmes en couches, celui-là de la pluie, celui-ci de la forêt... En fait, chacun de leurs dieux n'est qu'une facette, un aspect d'un Dieu tout-puissant dont la conception unitaire leur échappe. Et puis, réfléchis... Pour eux, est-ce que vous ne faites pas un peu la même chose avec le Père, le Fils et le Saint-Esprit ?... »

Elle a réponse à tout. Enfin, à presque tout puisque, très souvent, elle refuse de m'éclairer.

« Tu sais que, parfois, tu m'agaces ? »
Elle rit...

Il est minuit passé.

Nous sommes assis, côte à côte, dans les fauteuils provençaux de la cuisine. Mimi dort sur un radiateur. Lulu, lui, rôde devant nous...

J'aimerais bien terminer cette relation par un petit clin d'œil...

« Tu ne veux pas appeler Lulu, comme l'autre jour ?

— Ça t'amuse, n'est-ce pas ?... Lulu !... »

Il s'est assis face à nous, ce petit chat. Et, dans la seconde, ses oreilles se sont orientées en arrière.

C'est ce que font tous les chats lorsqu'ils écoutent intensément.

FIN

208

La grande et triste erreur de quelques-uns, c'est de s'imaginer que ceux que la mort emporte nous quittent : ils ne nous quittent pas, ils restent.

Où sont-ils ? Dans l'ombre ? Oh non, c'est nous qui sommes dans l'ombre. Eux sont à côté de nous, sous le voile, plus présents que jamais.

Nous ne les voyons pas, parce que le nuage obscur nous enveloppe, mais eux nous voient.

Ils tiennent leurs beaux yeux pleins de lumière arrêtés sur nos yeux pleins de larmes.

Ô consolation ineffable, les morts sont des invisibles, ce ne sont pas des absents.

J'ai souvent pensé à ce qui pourrait le mieux consoler ceux qui pleurent. Voici : c'est la foi en cette présence réelle et ininterrompue de nos morts chéris ; c'est l'intuition claire, pénétrante, que, par la mort, ils ne sont ni éteints, ni éloignés, ni même absents, mais vivants près de nous, heureux, transfigurés, et n'ayant perdu, dans ce changement glorieux, ni une délicatesse de leur âme, ni une tendresse de leur cœur, ni une préférence de leur amour, mais ayant au contraire, dans ces profonds et doux sentiments, grandi de cent coudées.

La mort, pour les bons, est la montée éblouissante dans la lumière, dans la puissance et dans l'amour.

Ceux qui, jusque-là, n'étaient que des chrétiens ordinaires deviennent parfaits ; ceux qui n'étaient pas beaux deviennent bons ; ceux qui étaient bons deviennent sublimes.

Monseigneur Bougeaud,
évêque d'Angers

CET OUVRAGE A ÉTÉ REPRODUIT
ET ACHEVÉ D'IMPRIMER SUR ROTO-PAGE
PAR L'IMPRIMERIE FLOCH À MAYENNE
EN OCTOBRE 1995

Éditions du Rocher
28, rue Comte-Félix-Gastaldi
Monaco

Dépôt légal : octobre 1995.
Nº d'édition : CNE section commerce et industrie
Monaco : 19023.
Nº d'impression : 38220.
Imprimé en France